TRAVELER'S

トラベラーズノート オフィシャルガイド

notebook

トラベラーズカンパニー

KADOKAWA

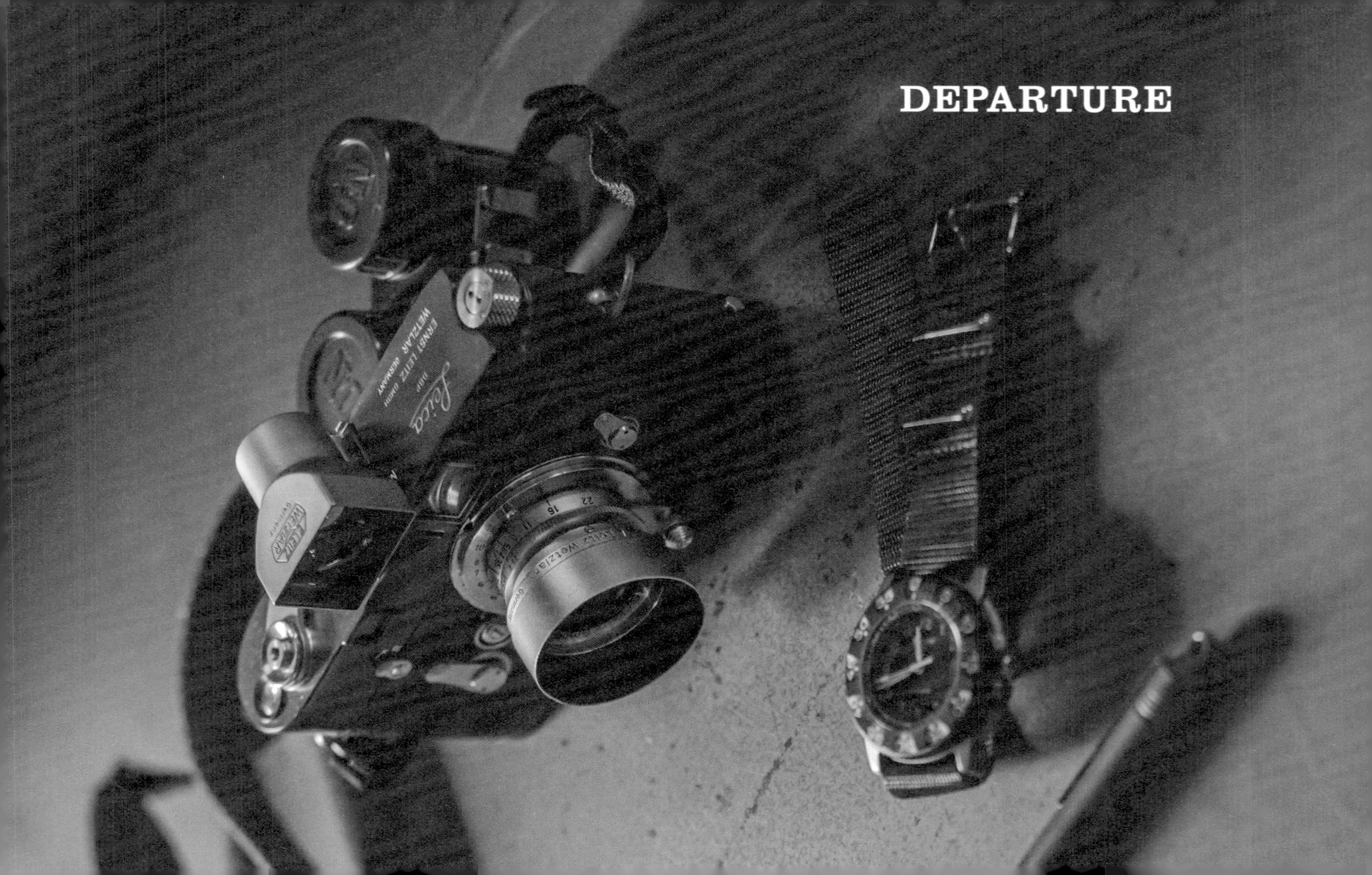

DEPARTURE

そのノートは創造を、冒険心を、日常を、
全部受け止めて肯定してくれる。
毎日がまっさらな1ページ目。
自分がどこまでも行ける気がした。

特に2021年の
うまくいったらいいなと思い
も多いんだろうな。

嬉しいことも、
ちょっとつらいことも、
ただ書き綴った。

見返したある日、
そのページが、1行が、
宝物になった。

ノートは時に、
過去の自分から未来の自分への
バトンになる。

10th
ANNIVERSARY
of
TRAVELER'S
notebook
Keep on moving with
TRAVELER'S notebook
and a free spirit
TRAVELER'S
COMPANY
JAPAN

人生の数だけ、ノートがある。
同じものはふたつとない。
だから面白い。

みんないい顔してる。

ノートと共に歩もう。時を刻もう。

Contents

3. Factory & Artisan
トラベラーズノートが生まれる場所

4. Products
プロダクトの魅力

5. Customize
使う楽しさを格上げする

Staff

デザイン
漆原悠一、松本千紘（tento）

取材・編集協力
八木美貴、入江香菜子、伏島恵美、
藤岡 操、大森菜央、裏谷文野

撮影
村山玄子、是枝右恭、工藤裕之、山平敦史、
宮脇慎太郎、落合明人、稲垣徳文、橋本美穂

校正
麦秋アートセンター

協力
株式会社デザインフィル

編集
馬庭あい（KADOKAWA）

※本書の情報は2021年8月時点のものです。
※本書で紹介しているアイテムは、販売が終了した商品も含まれます。
　またユーザーページに掲載しているアイテムは各ユーザーの私物となります。お問い合わせはお控えください。
※本書で紹介しているノートの中面や、カバーのカスタマイズは、作者のオリジナルを尊重しています。

1.

What is TRAVELER'S notebook?

トラベラーズノートを知る

好きなことを書いたり、自分好みにカスタマイズしたり、
1冊のノートが自分の世界を広げ、ワクワクとした気持ちにさせる。
そんな不思議で魅力的な「トラベラーズノート」とは
一体どのようなノートなのか。はじめにじっくり紹介していきたい。

トラベラーズノートはこんなノートです

独自の存在感を放つトラベラーズノート。なぜ、このノートが多くのユーザーに支持されているのか。改めて、その魅力について考えてみたい。

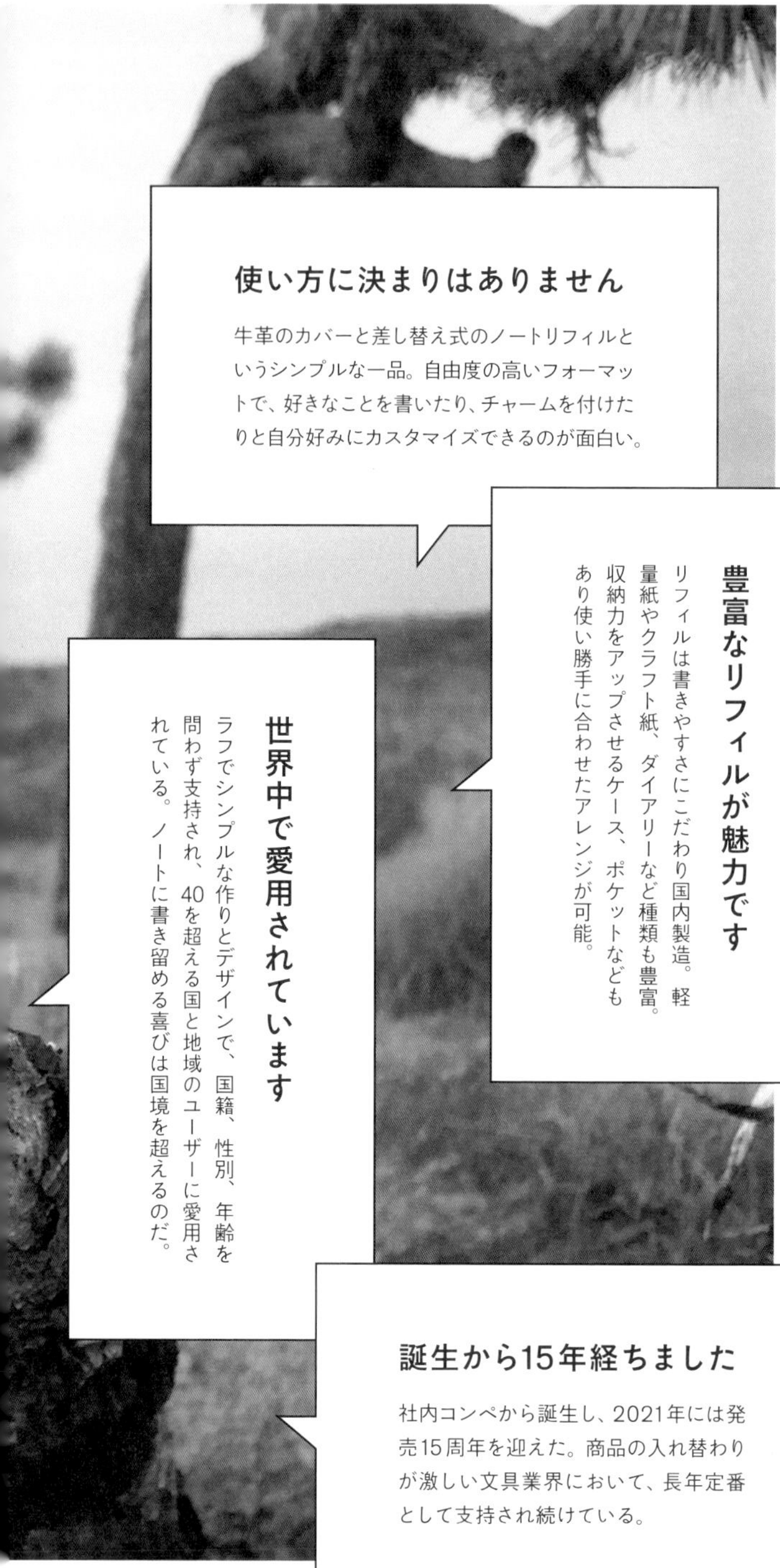

使い方に決まりはありません

牛革のカバーと差し替え式のノートリフィルというシンプルな一品。自由度の高いフォーマットで、好きなことを書いたり、チャームを付けたりと自分好みにカスタマイズできるのが面白い。

豊富なリフィルが魅力です

リフィルは書きやすさにこだわり国内製造。軽量紙やクラフト紙、ダイアリーなど種類も豊富。収納力をアップさせるケース、ポケットなどもあり使い勝手に合わせたアレンジが可能。

世界中で愛用されています

ラフでシンプルな作りとデザインで、国籍、性別、年齢を問わず支持され、40を超える国と地域のユーザーに愛用されている。ノートに書き留める喜びは国境を超えるのだ。

誕生から15年経ちました

社内コンペから誕生し、2021年には発売15周年を迎えた。商品の入れ替わりが激しい文具業界において、長年定番として支持され続けている。

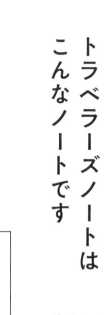

ノートの世界を体感できる基地があります

旗艦店、トラベラーズファクトリーでは〝旅をするように毎日を過ごすための道具〟をテーマに、文具をはじめ世界中のプロダクトを販売。カスタマイズするためのスペースもある。

タイで手作りされた素朴なカバーです

牛革のカバーはタイのチェンマイで手作りされたもの。植物性タンニンでなめした革はナチュラルな質感で、使い続けるうちに風合いが増し、傷さえも味となる。

不思議な力があるのかもしれません

このノートを手にすると、未知の世界へ旅に出るような、そんな気持ちになる人が多いという。ユーザー同士で話していると、好きなものの世界観も似ているというから興味深い。

HISTORY 2006-2021

2021年、発売開始から15年を迎えたトラベラーズノート。国内だけでなく、海外でもユーザーが多い。その歩みは一体どのようなものだったのか。さまざまな出来事を振り返ってみたい。

2005- コンペにより誕生

プロローグ

社内のノートコンペ企画で好評を博し発売が決定。自分たちのワクワクする直感を信じて、戦略などはあまり考えなかったという。

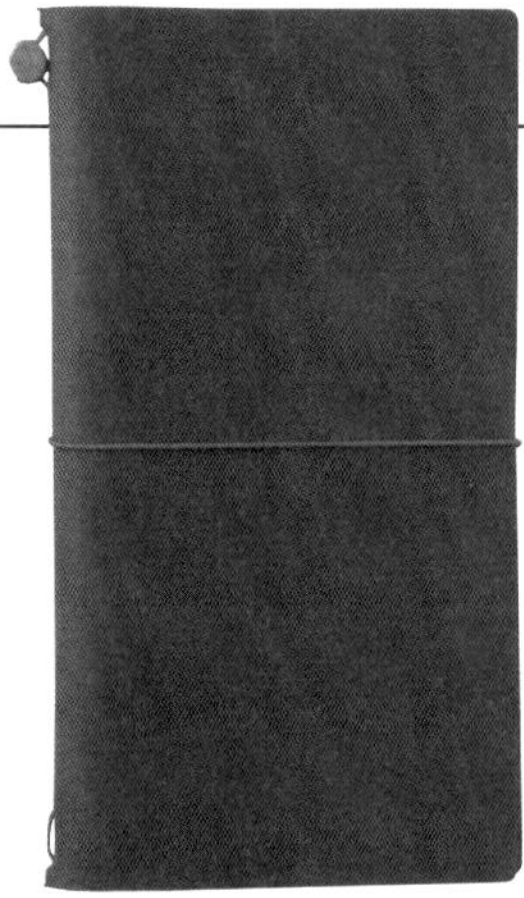

2006- トラベラーズノート発売！

2006年3月、黒と茶、2色のカバーと4種類のリフィルで販売が開始され、ホームページもオープン。9月にはダイアリーリフィルも加わる。

左|展示会で配布したコーヒーとコースター。
右|発売時はレギュラーサイズのみだった。

2007- ユーザーと共に世界が広がる

定番リフィルの種類を追加。投稿サイトであるトラベラーズカフェやトラベラーズ日記も開設され、ユーザーとの交流が始まる。

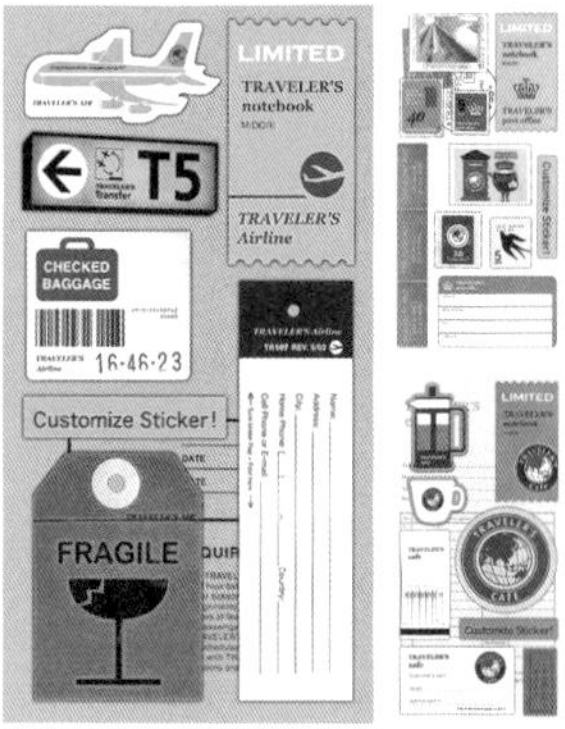

上|ポストカードキャンペーンを開催。
右|1周年記念の限定リフィルも登場。

2008-

リフィルの多様化

画用紙、軽量紙など、個性豊かなリフィルを追加。社内イベントでトラベラーズカフェを作ったことで、ノートの持つ世界観を体感できた。

流山工場内に作られたトラベラーズカフェは、1日限定のものだった。

2009-

棚や壁、ディスプレイ小物などにもだわって丁寧に作り上げたイベントの空間。

パスポートサイズを追加

携帯性に優れたパスポートサイズが仲間入り。発売に合わせて開催されたイベントを皮切りに複数のイベントを行う。

2010-

多彩なアイテムが仲間入り

トラベラーズノートの仲間であるブラスプロダクトやスパイラルリングノートの登場により、ノートの世界が深化。流山工場ではノートバイキングを開催。

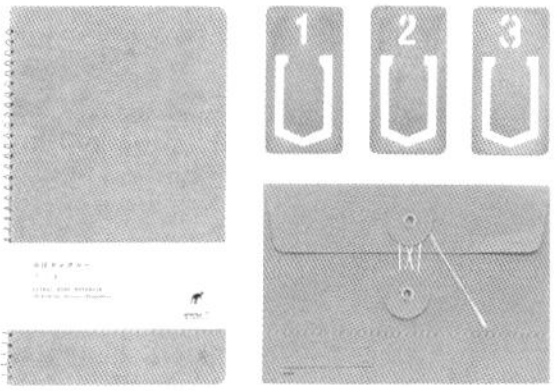

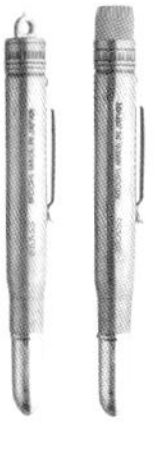

左｜ノートバイキングの様子。
上｜さまざまなアイテムや限定リフィルも登場。

2011-

トラベラーズファクトリー誕生！

5周年記念として、キャメルのノートやカスタマイズアイテムを限定発売（写真左上）。10月、中目黒にトラベラーズファクトリー（右上）が誕生。初の海外イベントはソウル（左下）と香港（右下）。

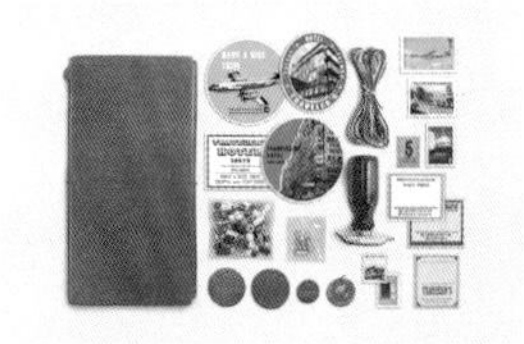

2013-

さまざまなブランドとコラボレーション

国内外を問わずトラベラーズノートが共感するブランドと精力的にコラボレーションを行うことで、よりファン層が広がる。

コラボレーションを記念して香港スターフェリーの船上でイベントが行われた。

2012-

カスタマイズアイテムを販売

ロールシールやペンホルダーなどのアイテムが加わった（写真左上段）。海外でのイベントやNEXCO中日本とのコラボレーションも実施。

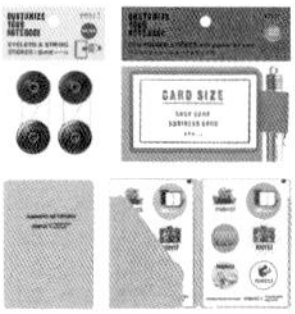

フランスでのイベントは、パリのセレクトショップ、メルシーで開催され、コラボステッカーも販売（写真左上下段）。

2014-

世界の玄関口にトラベラーズファクトリーがオープン

成田空港に2つ目となるトラベラーズファクトリーが誕生。台湾でのイベントのほか、国内4都市を巡るキャラバンイベントも開催された。

右・中|台湾イベント時の限定品。**下**|トラベラーズファクトリーエアポート。

2015-

ブランド名を変更

国内に続き、ヨーロッパでもキャラバンを実施。10月には、ブランド名称がミドリからトラベラーズカンパニーに変更された。

ブルーを限定発売。**右・左上**|ヨーロッパキャラバンでのひとコマ。

2016-

10th

トラベラーズノート10周年！

ノートの定番カラーにキャメルが加わり、全3色となる。アジア3都市、ニューヨークでもキャラバンを開催。海外人気も高まる。

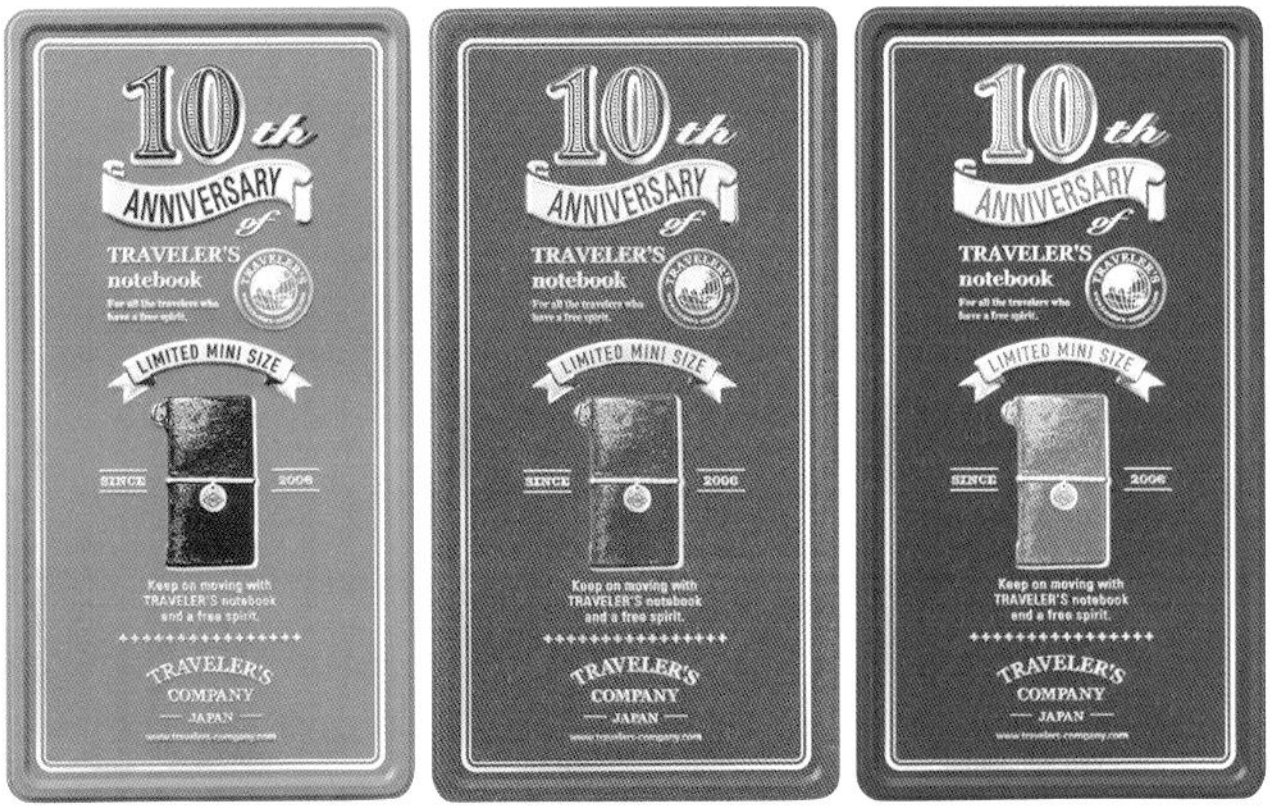

10周年を記念して限定発売されたミニサイズのノート。

2017-

空港に続き駅にも拠点が誕生

日本の鉄道の出発駅・東京駅構内に3か所目となるトラベラーズファクトリーがオープン。限定カラーのオリーブもこの年に発売された。

左上・左下|NY、LAでのキャラバン。**右**|トラベラーズファクトリーステーション。

2019-

新しいリフィルでさらに便利に

ユーザーの声をもとに開発されたドット方眼やブラスクリップなどを販売。プラダや星野リゾートなどとのコラボレーションも話題となった。

上|ノートを開いた状態で固定できるクリップ。**右**|ドット方眼と水彩紙のリフィル。

2018-

トラベラーズノートが4色に

カバーの定番色にブルーを追加（写真上）。フランス・パリで開催されたMAISON & OBJET PARISに出展したほか、ソウルやマドリードでもイベントを行う。

中|MAISON & OBJET PARIS。**右**|シュペリオール・レイバーとのコラボレーション。

2020-

京都にトラベラーズファクトリーオープン

トラベラーズファクトリー京都がオープン（写真左上）。ブラスプロダクトの限定カラーとしてファクトリーグリーンを発表。

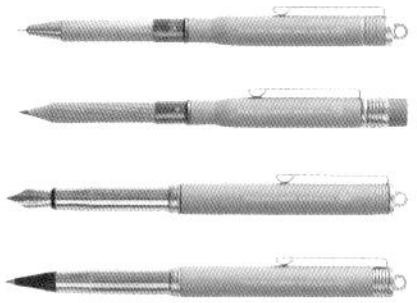

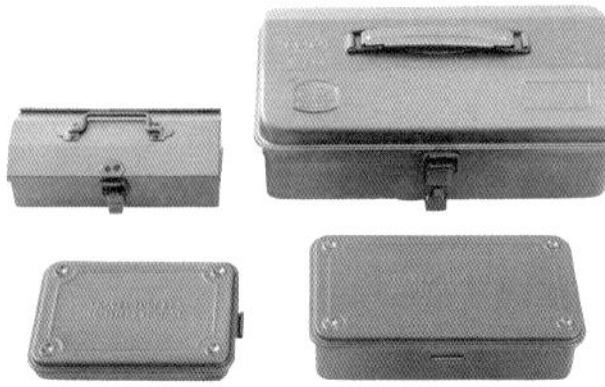

左下|エースホテル京都で行われたイベント。**右下**|東洋スチールとのコラボレーション。

2021-

レコードのB面のように、実験的で、面白いアイデアが詰まったリフィルたち。

トラベラーズノート発売15周年

リフィルコレクション「B-Sides & Rarities」を販売。個性的なリフィルがワクワクさせてくれる。

2.

Users' notebook style

トラベラーズノートのある豊かな日常

さまざまなライフスタイルや仕事でトラベラーズノートを楽しむ
15人のユーザーの、多彩で魅力的なノートスタイルを紹介。
トラベラーズノートの楽しみ方は、十人十色で無限大。
ここからどう楽しむかは、もちろん“16人目”のあなた次第。

ノートにしたためた歌詞とギターで音楽が生まれる

山田稔明さん／シンガーソングライター

01

MUSIC

コラボレーションリフィルやCDのリリース、トラベラーズファクトリーでのライブ開催など、トラベラーズノートと長年にわたり親交がある、シンガーソングライターの山田稔明さん。

もともとかなりの文具好きで、ノートは別ブランドのものを長年使っていたが、偶然のきっかけでトラベラーズノートのチームと知り合った。

「（プロデューサーの）飯島さんたちと知り合ってからも、そう簡単には愛用ノートを変えるつもりはないぞ、と思っていたんですが……（笑）。使い始めてみたら自由にカスタマイズできるリフィルや、使うほどに育っていく革のカバーが思った以上に魅力的でした」と山田さん。徐々にリフィルも増えてパスポートサイズも仲間入りし、いつしかどこへ行くのにも持ち歩く、頼れ

“音楽作りに向き合うと自然と埋まるノート”

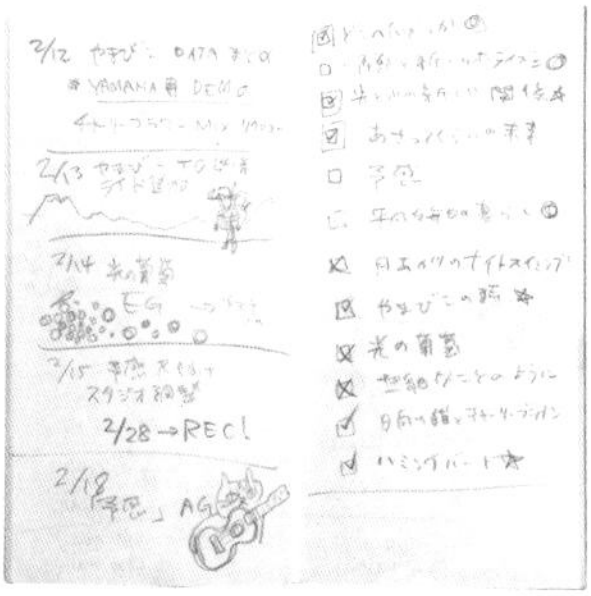

レコーディングメモ

アルバム制作に向けてレコーディングが続くときはウィークリーでスケジュールを管理。いつどの曲のどんなパートを録ったかを把握しやすく、振り返りにも役立つ。

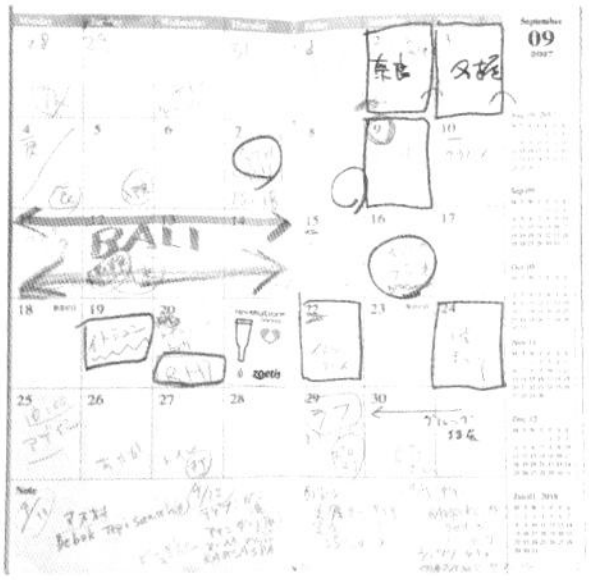

マンスリースケジュール

マンスリータイプのリフィルを愛用。赤ペンで囲むのはライブの日。この月はバリ旅行もあり「赤の多さは充実度に比例する。今見てもこの月は楽しそう（笑）」。

Q＆A

トラベラーズノートの愛用歴は？	**約9年**
無人島へノートと共に持っていくなら？	**やっぱり猫を連れていきます**
トラベラーズノート作りの相棒は？	**パイロットの万年筆カヴァリエ**

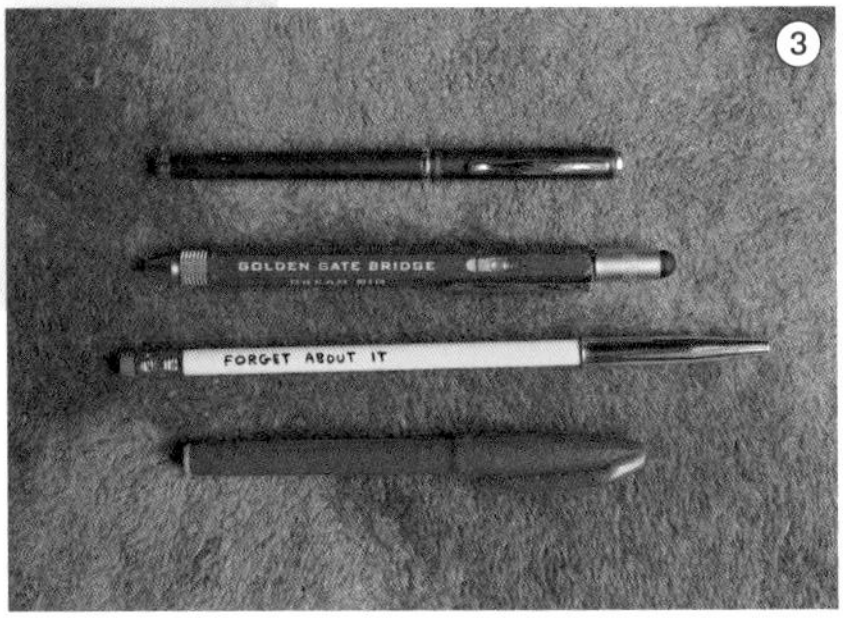

1｜ステーショナリー好きな山田さんがバンドのアルバム「memori」のジャケット写真のために集めた物差しの数々。2｜筆がサラサラ進むのは、やはり猫や音楽にまつわるイラスト。3｜上から万年筆カヴァリエ、サンフランシスコで購入した目盛り付きボールペン、鉛筆、赤サインペン。

る相棒になった。

「とにかく触りたくなる魅力があるノートなんです。家に置いておくより持ち歩きたい。発売以来、プロダクトのデザインのコンセプトが一貫しているのも嬉しいところです」

山田さんがノートに書き込むのは、歌詞やライブのスケジュール、レコーディングの記録など音楽に関すること全般、そして大好きな猫のこと。絵を描くことも好きで、愛猫のポチ実をモデルにイラストをしたためている。

ライブやレコーディングなど、特に大事な予定は赤いサインペンでぐるりと囲む。それに加えて、アルバム制作時、レコーディングが近づくと無地のノートをウィークリースケジュールとして使っている。

「文字で埋まったページや赤が多いページを見返すと、頑張ったな、充実していたなと思えます」

ノートの埋まり具合や〝赤〟の数が、そのままリアルライフの充実度につながって

②

①

1｜トラベラーズノートをテーマに制作し、2017年にリリースしたシングル「notebook song」とカセットテープをデザインしたリフィル。**2**｜毎年恒例のコラボレーションリフィルは、山田さんが猫などのイラストを担当している。**3**｜奥の棚にはアナログ盤レコードがぎっしり。

③

⑤

⑥

4｜先代猫のポチが亡くなったあと、山田邸の庭に現れたポチそっくりの三毛猫「ポチ実」。イラストのモデルも務める。**5**｜カバーにはアルバムジャケットのステッカーを貼って。「はがれると新しいものに貼り替える。その作業もまた楽しい」。**6**｜パスポートサイズのカバーはキャメルを愛用。

いるのだ。

　こうして山田さんがトラベラーズノートと共に積み重ねた日々は、2017年に「ノートブックソング」というひとつの形になった。

　トラベラーズノートをイメージしたこの歌は「ふくらんだ僕のノート　秘密のメモの宝庫」という歌い出しで始まる。爽やかで軽快なメロディーに乗せた歌詞は、もちろん山田さん自身がトラベラーズノートに綴ったもの。ノート好きの心をくすぐる、まっすぐな歌詞が皆を魅了している。

　2020年はコロナ禍に見舞われ、ライブの予定にはバツがつくことも多かった。少しさびしくなったスケジュールの赤枠を眺めながらも、インスタライブや配信など新しい挑戦も始めた。いつか振り返ったとき、この赤の少なさもまた、語れる思い出になるのかもしれない。

　頼れる相棒であるノートと、気持ちの乗った音楽と、癒やしの猫。これからもきっと、長く山田さんのそばにあるのだろう。

02

HALF TIME of LIFE

将来の自分だけが読む人生を反芻するエンターテインメント

小山薫堂さん／放送作家

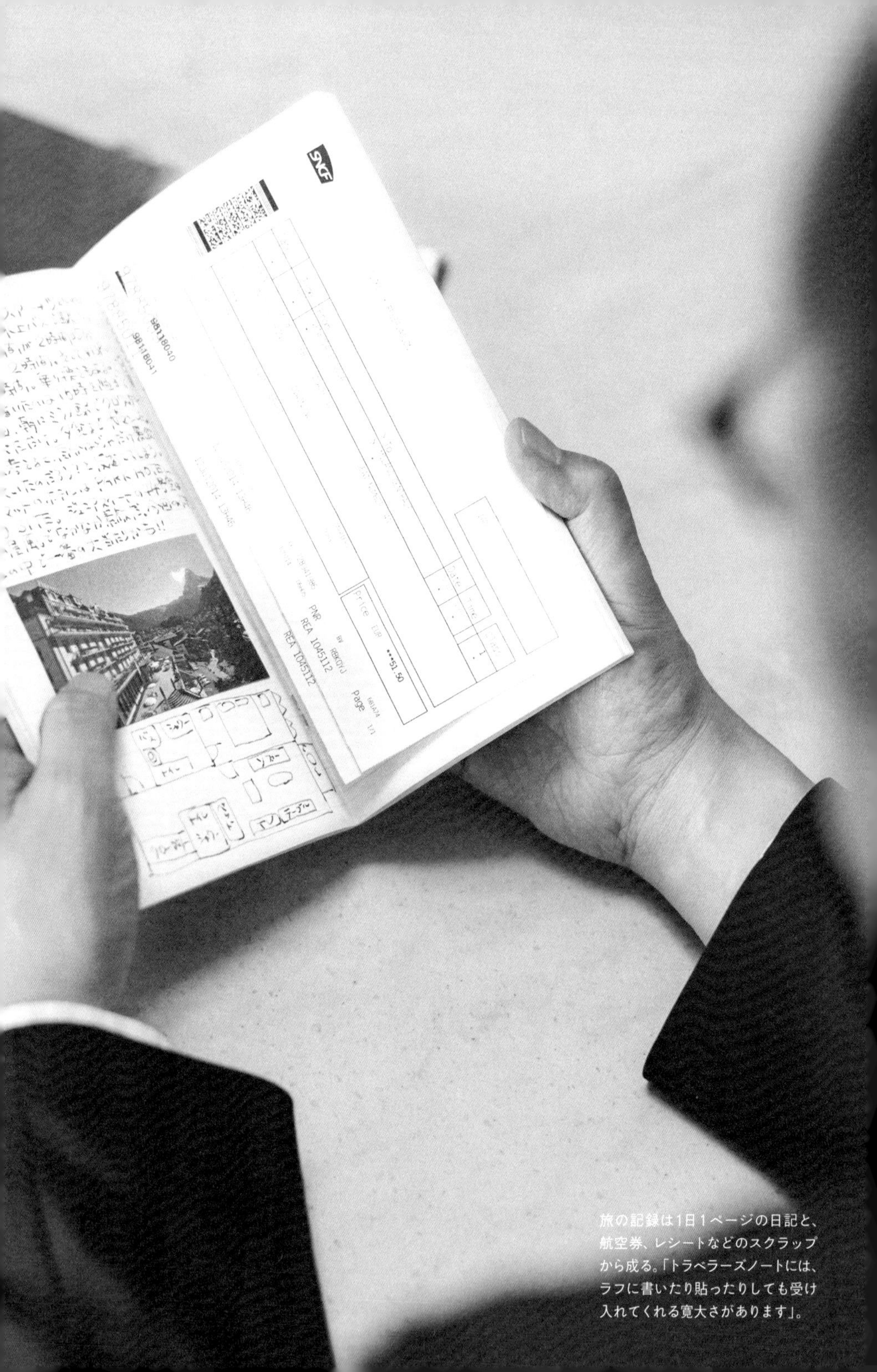

旅の記録は1日１ページの日記と、航空券、レシートなどのスクラップから成る。「トラベラーズノートには、ラフに書いたり貼ったりしても受け入れてくれる寛大さがあります」。

“驚く出会いやハプニングも このときだけの経験が詰まったノート”

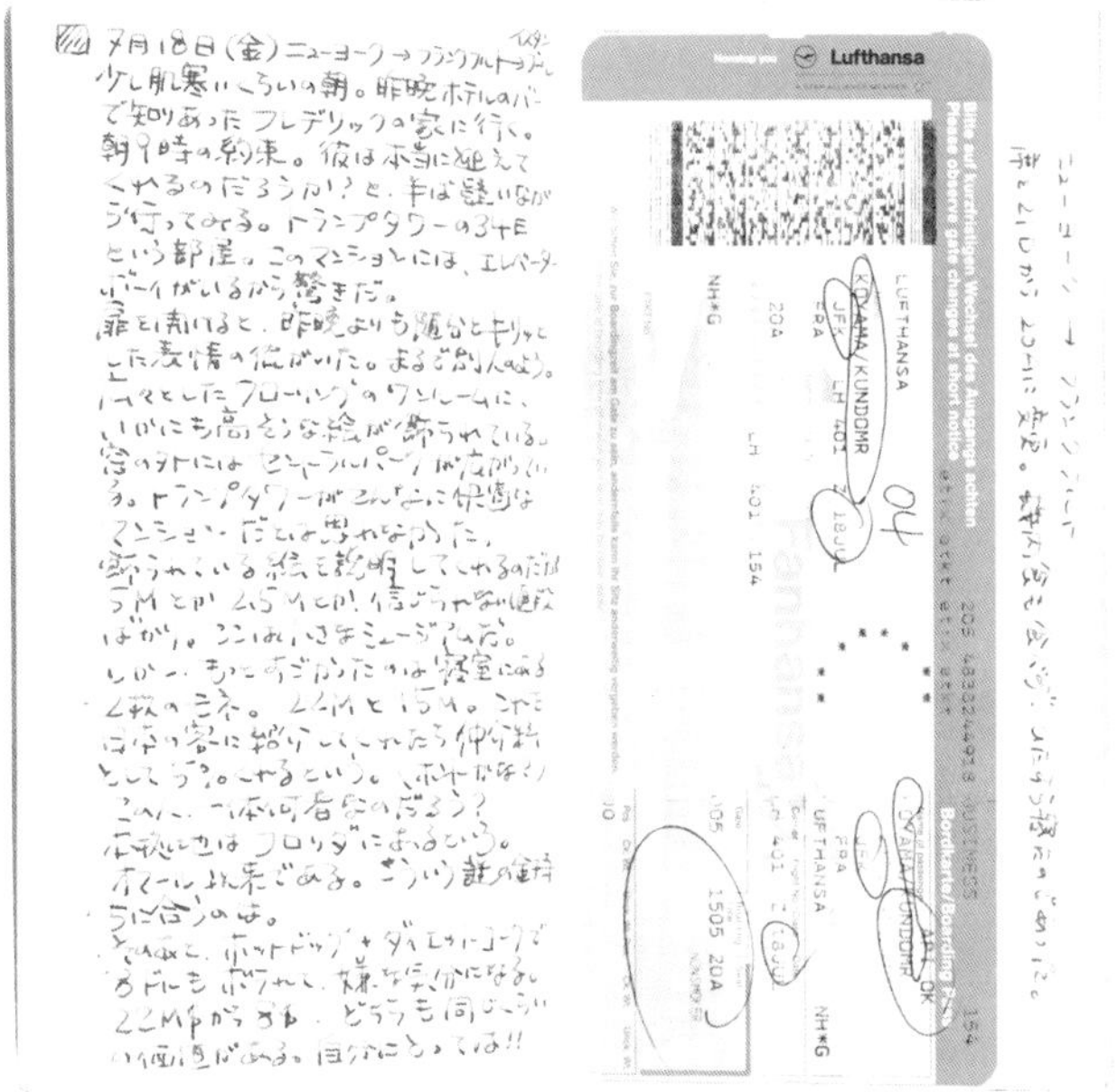

カバーの色はブラウンで、オレンジ色のゴムを使用。左のページは旅の中盤で訪れたニューヨークでの日記で、文中の5Mは5millionのこと。“謎のお金持ち”との出会いが綴られている。

２０１４年に迎えた、50歳の誕生日。学生時代に仕事を始めて以来まとまった休みをとった経験がなかったという放送作家の小山薫堂さんは、「50になったら1か月休みをとる」、1年前からそう宣言していた。

小山さんはこの1か月間を「人生のハーフタイム」と名付けて準備を進めた。そんなとき、脚本家で劇作家の倉本聰さんから誕生日プレゼントとして贈られたのがトラベラーズノートだった。これは旅の記録にちょうどいい、そう考えて休暇中の相棒に。1か月の旅でも荷物はバックパックひとつ分だから、〝選ばれし道具〟となったわけだ。

「普段からノートは持ち歩いていますが、特にメモをとる機会が多いわけでもなく、1回の出張で1ページ使うかどうか。ただこの休暇だけは、書き残すことにとても価値があるように思いました」

ノートの最初のページは、誕生日当日に書いた所信表明から始まっている。1週間後に出発が迫っているのに、肝心の旅の内容がまだ決まっていないと嘆く内容だ。旅

先には好きな都市と行ってみたい都市を選び、のべ10か国ほどに。いずれも1〜3泊の滞在で移動を繰り返し、「結果的に仕事よりも忙しい休暇になった」と笑う。

「このノートは〝思い出マニア〟である僕にとって、歳をとったときに読み返して、人生楽しかったな、こんなことがあったなと、反芻するためのエンターテインメントのようなものでしょうか。自分への手紙であり、自分だけが読む書籍です」

休暇中は毎晩ノートに向き合い、万年筆でその日に起こった出来事や気付き、発見を書いた。旅の醍醐味は、予期せぬ経験や出会い。ストックホルムでは騙されて所持金を失う経験もしたが、それもお金の価値について考え直すきっかけになった。その日の日記は「ありがとう、ガムラスタンの悪党どもよ」で締めくくられている。

「旅日記は途中で投げ出したとしても不思議はなかったけれど、ノートに向かう時間がとても楽しくて、結果的に最後まで続きました。倉本先生からトラベラーズノート

②

1|小山さんが設立した放送作家事務所「N35」のオフィスにて。応接スペースに設けられた棚には、日本全国、世界各国を旅して出会ったものや贈られたものが並べられている。2|モンブランの万年筆を愛用。インクの色はミッドナイトブルー。3|ノートの最初のページに書いたのは、「人生のハーフタイム」にあたってのいわば所信表明。50歳の誕生日の夜に書いたもの。

③

をいただかなかったら、もっと適当に旅を終えていたかもしれません。ノートがきっかけになって、旅をより楽しめたし、特別な1冊が完成して、将来の自分も楽しめるものになったと思います」

人生のハーフタイムを伴走したノートは、今もオフィスの書棚に大切に置いてある。ときどきページをめくると、ありありと蘇る記憶が、小山さん自身を楽しませてくれる。

Q & A

トラベラーズノートの愛用歴は？	**2014年7月の1か月間**
無人島へノートと共に持っていくなら？	**ライカのカメラ**
トラベラーズノート作りの相棒は？	**モンブランの万年筆**

2019
Favorite Shop
Date 2020.1.9
Favorite Shop
date 2020.1.17
shop HATONOMORI
Favorite Shop
Date 2020.1.31
Shop popocafe FOREST
MY BOOKSHELF 1
WANT TO MAKE A TRAVEL JOURNAL
トラベルノートが書きたくなる本たち
フィンランドー建築・デザインの神話
AND
: Shared Visions
アイノとアルヴァ
JOURNAL
ADMIT ONE
TICKET
世田谷美術館
SETAGAYA ART MUSEUM
二人のアアルト
artek
marimekko
VERO MODA
SUPER YELLOW
Frankly

03

TRAVEL

特別な日も日常もすべての“旅”を見開きに詰め込んで

ミニ・マイナーさん／トラベルノート作家・1級建築士

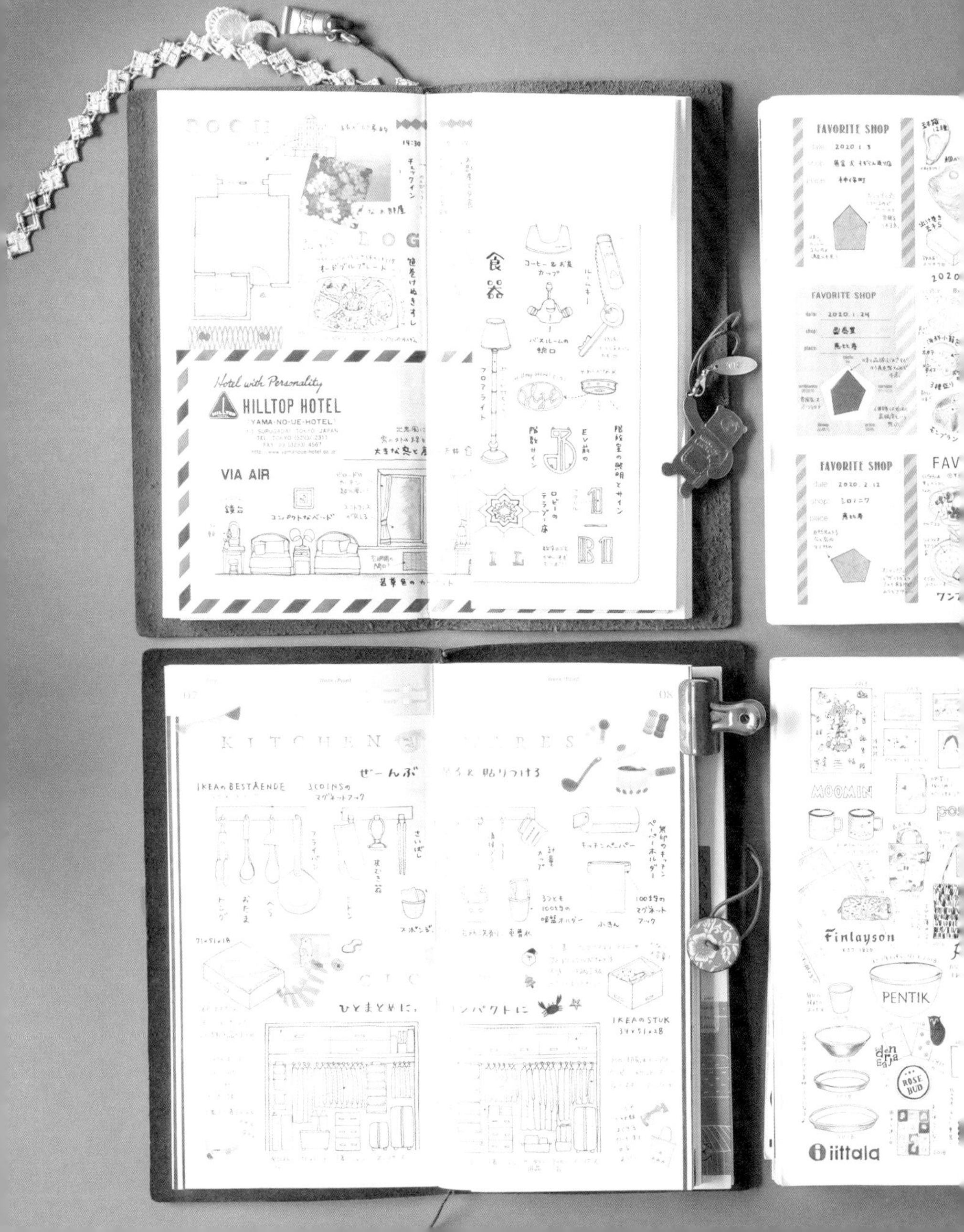

「トラベラーズノートに出会う前と後では、私の人生は大きく変わりました。ノートの存在には本当に感謝しています」

そう語るのは、インスタグラムで美しく楽しいノートの数々を披露しているミニ・マイナーさん。これまで綴ってきたノートは40冊以上に及んでいる。

ミニ・マイナーさんがトラベラーズノートを使い始めたのは2015年のこと。

「それ以前は1日1ページのダイアリーに日々の出来事などを日記のような形で書いていました。でも、せっかくならただの備忘録に留めずもっとポジティブな形で残しておきたいと思うようになって。そこで選んだのが、革のカバーのかっこいい佇まいに惹かれたトラベラーズノートでした」

こうして始まったノートライフ。初期の頃のテーマは、もともと旅好きだったこともあり、大好きな北欧諸国への旅行の記録などだった。当時は同じテーマについて複数ページにわたって綴っていたが、次第に見開き2ページに1テーマを完結させるスタイルに固まっていった。

「旅は一瞬で終わってしまうけれど、ノートにまとめることによって、楽しかった思い出を何度も振り返ることができるし、好きだとか感動したといった気持ちをより深めることができるんです」

ノートを書き続けるうちに、扱うテーマは広がっていった。建築探訪や美術館の観覧記録などのお出かけノートをはじめ、レシピやコンビニスイーツの食べ比べ、草花

1|下書き用の芯ホルダー、文字やイラストに使うアーティストペンや極細ボールペン、グレー色のマッキー。
2|レギュラーサイズオリーブは旅前後のまとめ用、パスポートサイズキャメルは旅中の持ち歩き用。

Q & A

トラベラーズノートの愛用歴は？	約6年
無人島へノートと共に持っていくなら？	キャンドル
トラベラーズノート作りの相棒は？	マスキングテープやシール

③

3｜ノート歴をまとめた見開き。スタイルやテーマの変遷がわかる。4｜これまでに書き溜めた40冊以上のノートは巾着に入れて箱に詰め、非常事態でもすぐ持ち出せる場所に保管している。

“ トラベラーズノートは
もうひとつの「眼」です ”

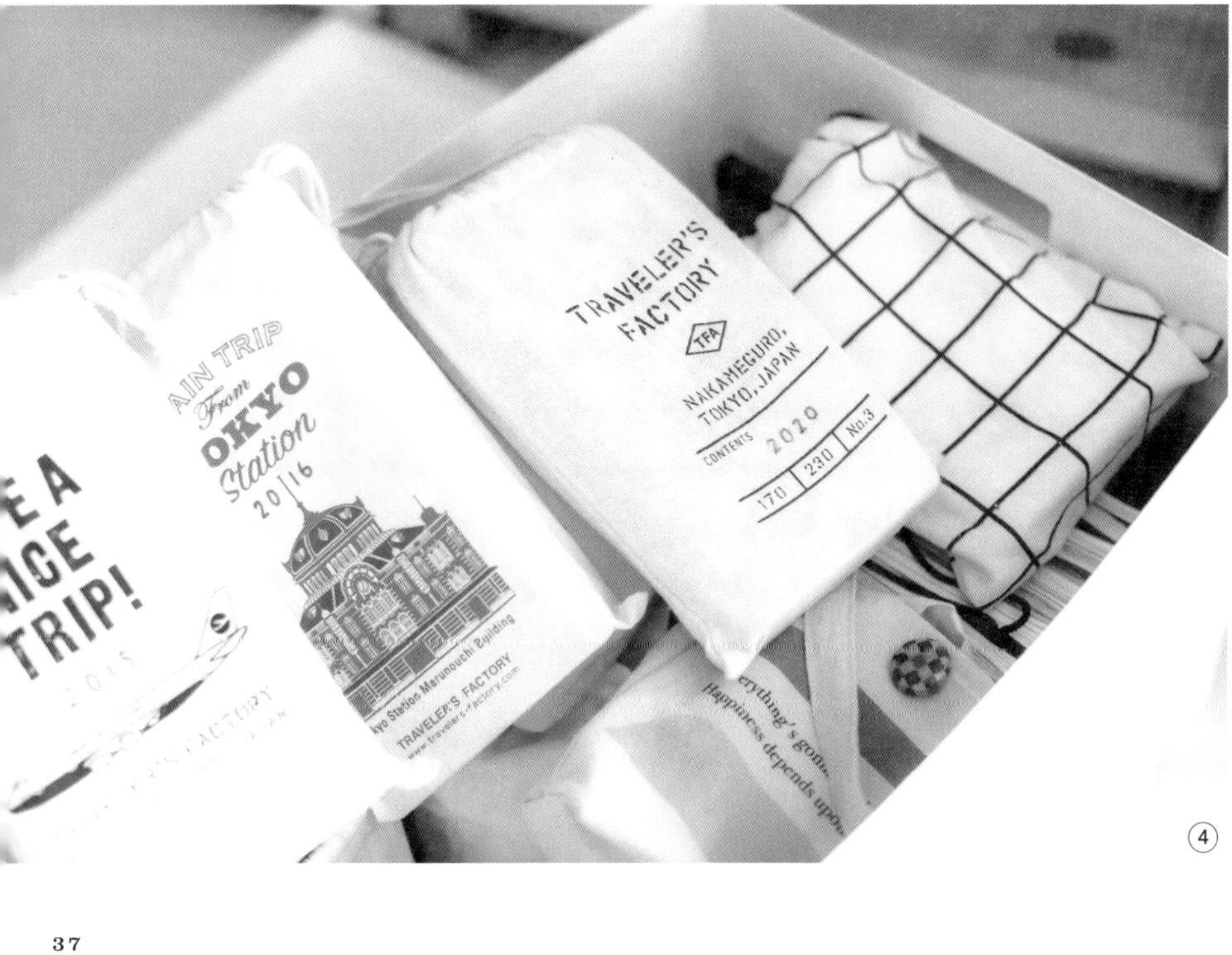

④

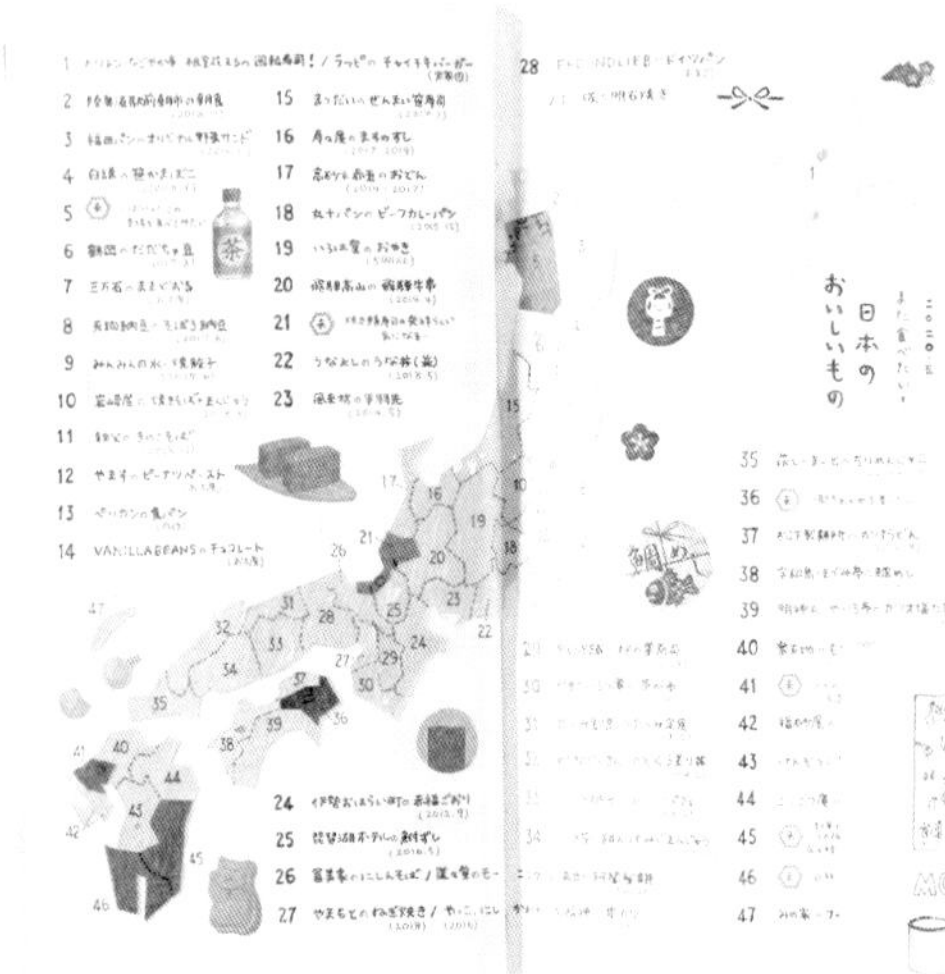

いつかorまた食べたい日本のおいしいもの

ステイホーム中、リアルな旅ができなくなり、過去の旅を振り返りつつ、これから行ってみたい場所をまとめたノート。日本全国を制覇するまであと6県！

我が家の北欧グッズまとめノート

北欧諸国はこれまでに何度も足を運んだ大好きな土地。リアル旅は難しくても、家の中での北欧モノを集めて旅気分に。購入した場所やお気に入りポイントを改めて振り返るきっかけに。

“普段の生活の中でも“旅”は見つけられる”

収集など、日常の中にテーマを見出して自分なりに深掘りすることも。

「日常に目を向けるようになったきっかけは、2018年のフィンランド旅行でした。お正月明けてすぐの旅だったので、極夜のため日中数時間しか明るい時間がなく、家の中での過ごし方やいつも行っている日常的なことに価値を与えるといった考えに自然と意識が向きました。日常こそ大事にして楽しむことができたら、人生がもっと面白くなると思っています」

日常を楽しむという視点は、ステイホーム中も発揮された。家の中にある北欧グッズや、過去に訪れた日本各地のおいしいものをまとめてみることで、リアルな旅ができなくても十分に旅気分を楽しめたのだ。

「トラベラーズノートは自分の興味のあるテーマや状況に応じて、どんどんスタイルを変えていけるし、カスタマイズできる。そこが一番の魅力です。心惹かれるテーマを見つけて、さあどうノートにまとめようかと、考える時間も楽しんでいます」

山の上ホテル 滞在日記

文字やイラストはスタンプやシール、ステンシルシートを活用してアイキャッチに。

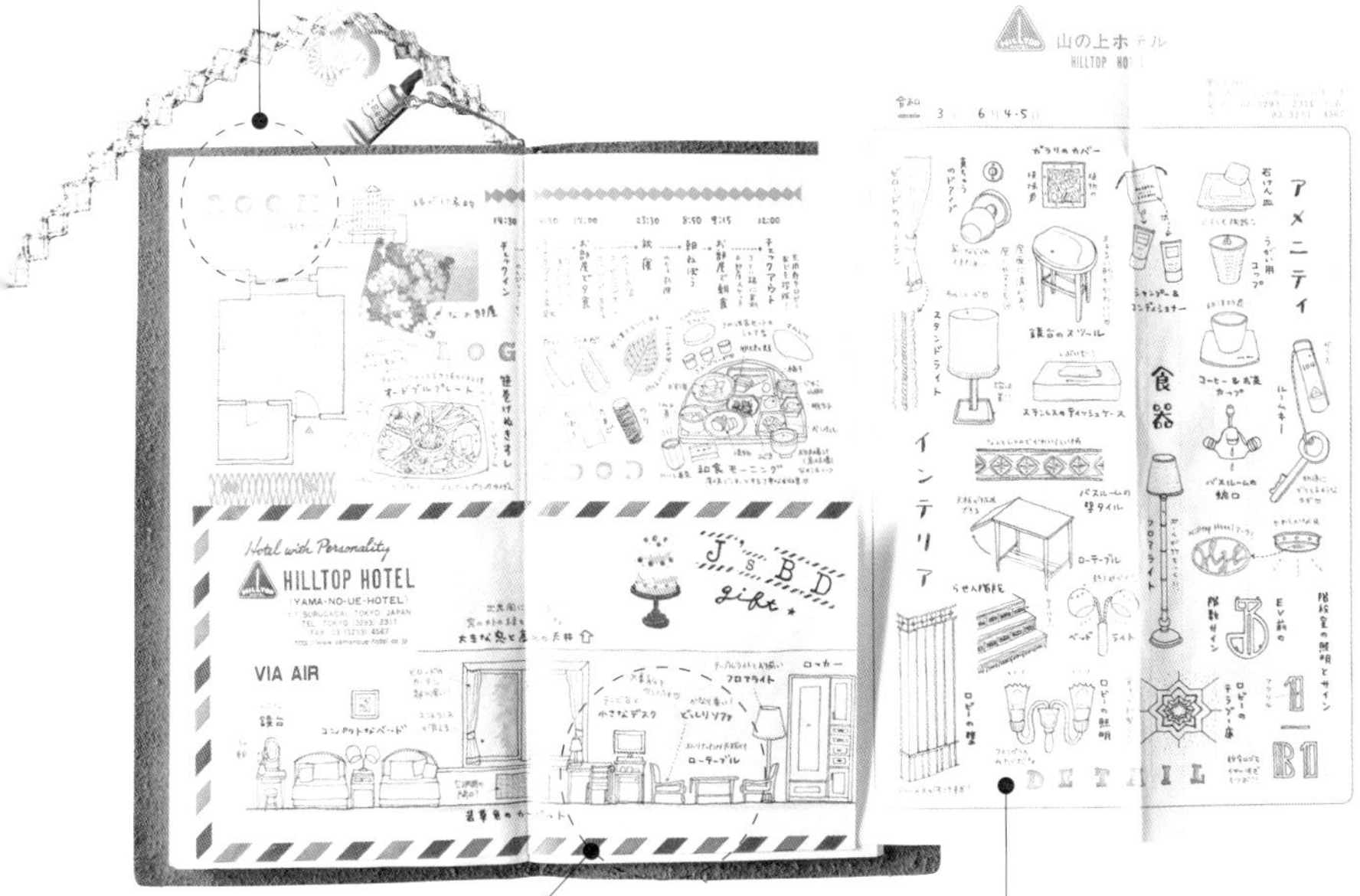

ホテルのエアメール封筒を使って。トリコロールカラーが枠線となり、いいアクセントに。

便箋を貼り付けてページを拡張。落ち着いたフォントや色がホテルの雰囲気をよく表している。

ノート制作は日課。朝晩に時間をとるほか、仕事の休憩時間なども活用して制作を重ねている。

04

ILLUSTRATED DIARY

ちまちま描いて楽しみ広がる。絵日記は好奇心の種

河野 仁さん／ジムニーパーツメーカー経営

河野仁さんの日記の原体験は、幼い頃に見た父親の姿だ。

「親父はブルーブラックのインクを入れた万年筆で連用日記を書いていました。『3年前の今日はこんな感じだった』と母親と話しているのを聞いて、日記っていいなと思っていた記憶があります」

お父さんは、河野さんを釣りやゴルフに連れていってくれたそうだが、「全く興味を持てなくてね、親父が釣りをする横でいつも絵を描いていました」と言う。

そんな記憶もあって、娘さんの成長を記録しておきたいと思い、日記を始めた。それから少し経った頃に出会ったのが、発売後間もないトラベラーズノートだった。

「このノートに出会って人生が変わりました。本当に大げさじゃなくて。見た瞬間にかっこいい！って一目惚れ。さらに『日常を旅する』というコンセプトを聞いて、これだ！と思いました。僕の最愛の車で相棒のジムニーに通じる言葉だったから」

トラベラーズノートを使うようになって

右から林道ノート、読書日記、1日1マス目絵日記。マス目絵日記は1か月の時間を、林道取材の絵日記はその旅全体はもちろん、一瞬の感覚、目にした色彩を俯瞰できる。

からは、好奇心の行方や好きなものをはっきりと自覚できるようになった。

「案内された場所に行ったときは、道のりなどを意外と覚えていない。だから、メモ、レシート、ラベルなどをノートに挟んでおいて後から復習するんです」

ここからが再び楽しい時間の始まりだ。トラベラーズノートを開いたら、地図を描き、空いたところに文字を書き、小さなスケッチブックに描いたイラストを貼り付けていく。見たもの、食べたもの、買ったもの、においや空気感、誰かの表情や言葉……旅をする自分が蘇る。ノートに書くことで、一瞬の感覚が永遠の楽しみに変わる瞬間だ。

毎日の絵日記は、日常を旅するように楽しむ河野さんの真骨頂。早朝5〜6時頃、ノートを前に俯瞰するように昨日のことを思い出す。手にするのは漆塗りに糸巻きが施された中屋万年筆のシガーモデル。1か月ダイアリー1日分、3㎝角ほどのマス目に書かれる文字は、職人技レベルの小さ

持ち運びセットたち

持ち運び用のバッグはノートのサイズに合わせて作った河野さんの会社APIOと横濱帆布鞄のコラボアイテム。ミニスケッチブックもAPIOオリジナル。

Q&A

トラベラーズノートの愛用歴は？	**10年以上**
無人島へノートと共に持っていくなら？	**片岡義男の本**
トラベラーズノート作りの相棒は？	**万年筆と色鉛筆と固形水彩絵具**

さ！　この日記のためにペン先を超極細に調整してもらったのだという。「僕って、ちまちましてるんだよね～」と自虐的に笑うが、そこには河野さんの美学が透けて見える。コンパクトにまとめるために、どれだけの集中力を使っていることか。

Q&Aコーナーの「無人島へノートと共に持っていくなら？」という質問には、少し思いを巡らせ「片岡義男の本」という答えが出た。「昔、ツーリングを楽しんでいた頃、バイクと片岡義男の本と山下達郎の曲があれば、死んでもいいと思ってたぐらい好き」と、ロマンチックに目を輝かせる。次の瞬間には、過去の絵日記を眺めて「この月は崎陽軒のシウマイを5回も食べてる！　好きなの崎陽軒のシウマイ。あ、昨日も食べた」と無邪気に笑う。

日記をめくるたびに、好きなものや興味のある話が次々と飛び出し、笑顔で周囲を惹きつけていく。ノートにちまちまと書いているのは、まるで好奇心の種のようだ。何年経っても、ページを開くたびにみるみ

月間ダイアリーの1日のマス目に超極細のペン先をスルスルと走らせる。毎朝のこの作業で自然と心が整い、一日が始まる。

る芽を出し、楽しみが広がっていく。

河野さんは最後に、超軽量紙のリフィルに記した読書日記を見せてくれた。「『風の時代』に自分を最適化する方法」という本を読んだときの日記には「原点回帰」という言葉が何度も書かれていた。

父親が釣りをしている傍らで、絵を描くことに没頭していたあの頃。幼い河野少年の好きなことを貫く姿勢が、毎日描き続ける絵日記の原点なのかもしれない。

カバーについたたくさんの傷、なんとなく貼ったシールもすべて河野さんの歴史の一部。

“描くことは僕の原点
好きだから
ずっと続けられる”

絵具はウィンザー・アンド・ニュートンのプロフェッショナル・ウォーターカラー ハーフパンを愛用。水入れボトル付きでとてもコンパクト。

05

COMEDY

ロケやネタ作りの工程にも、遊び心を乗っけたい

中西茂樹さん（なすなかにし）／お笑い芸人

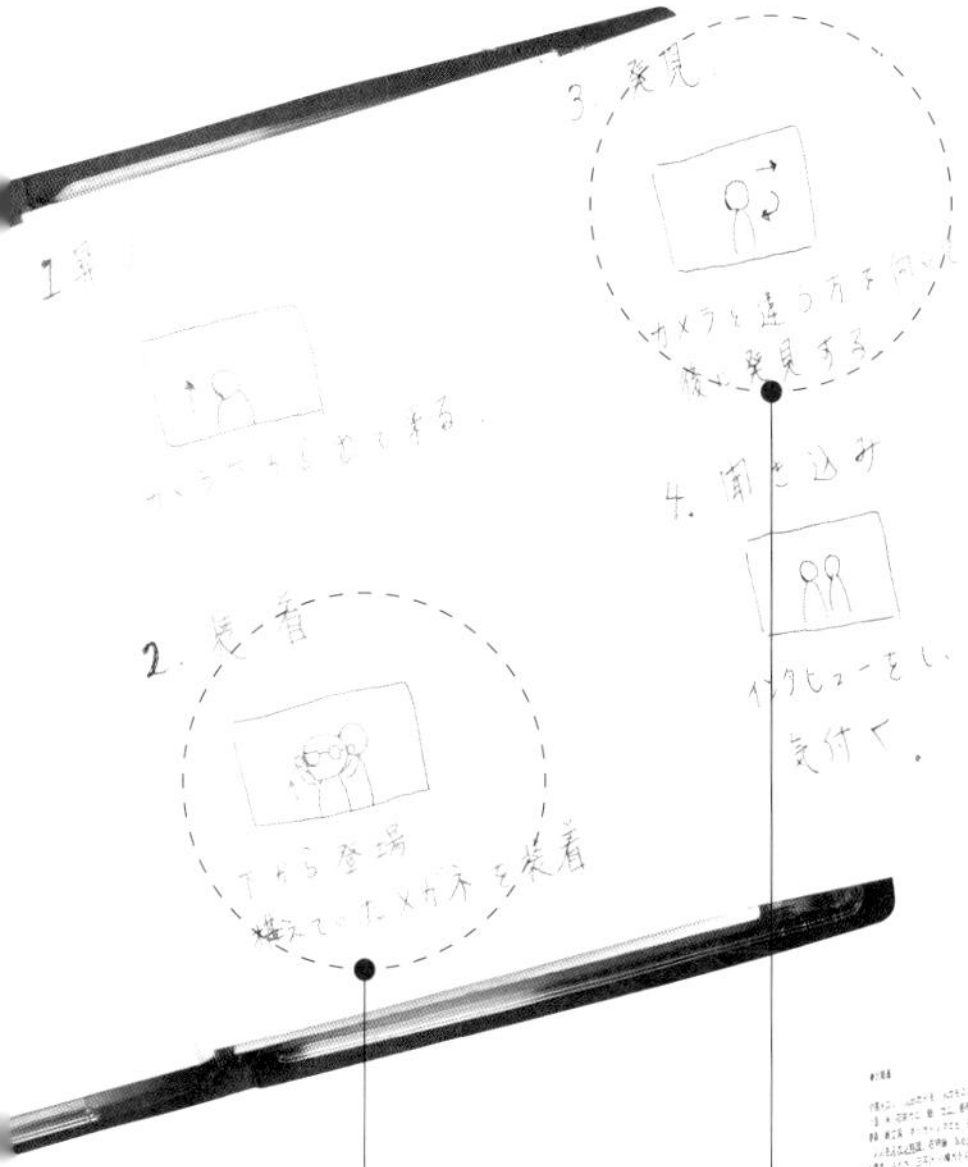

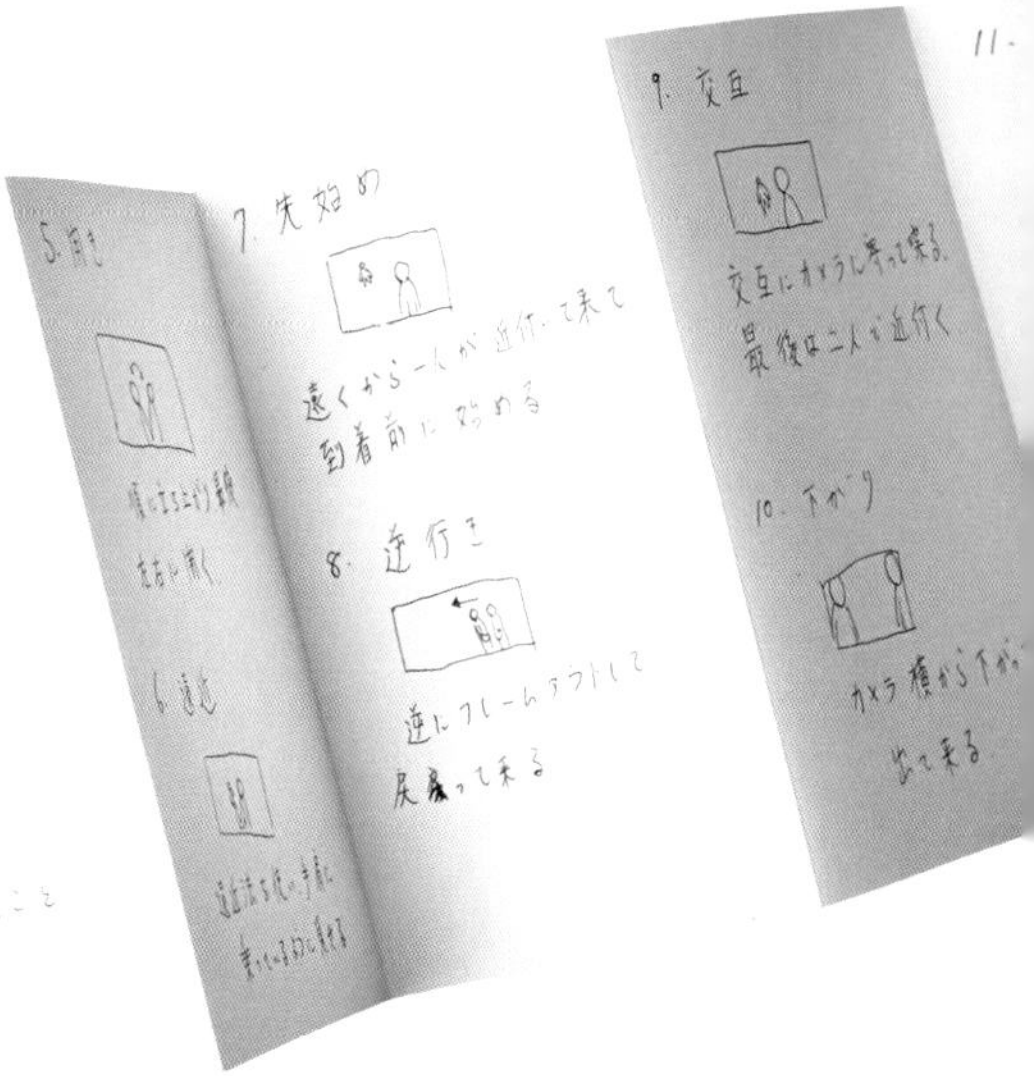

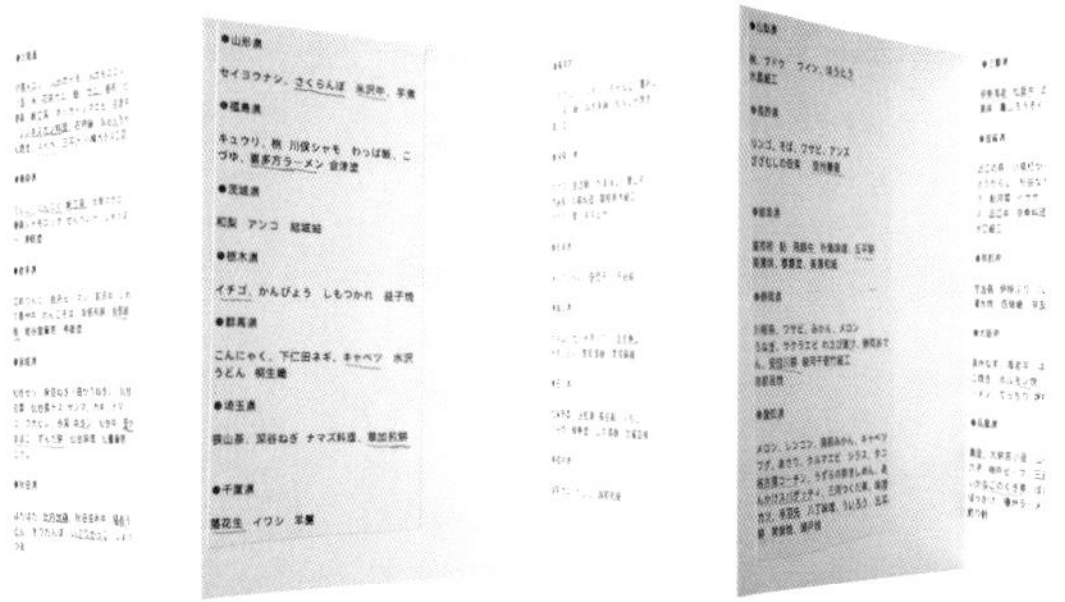

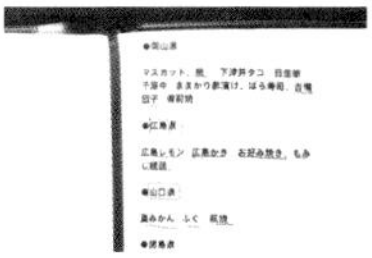

裏は自作の全国名産リスト。会話のきっかけになったり、食べたものをチェックすることがスタンプラリー的な楽しみに。

ロケの“つかみ”をジャバラリフィルにメモして俯瞰する

トラベラーズノートにしたためたロケマニュアル。オープニングの登場シーンでやる技・ネタが豊富なので、イラスト入りでジャバラリフィルにまとめている。日々増えており、すでに書き切ってしまったため買い足し予定！

Q.	A.
トラベラーズノートの愛用歴は？	約半年
無人島へノートと共に持っていくなら？	子どもの写真
トラベラーズノート作りの相棒は？	付箋各種

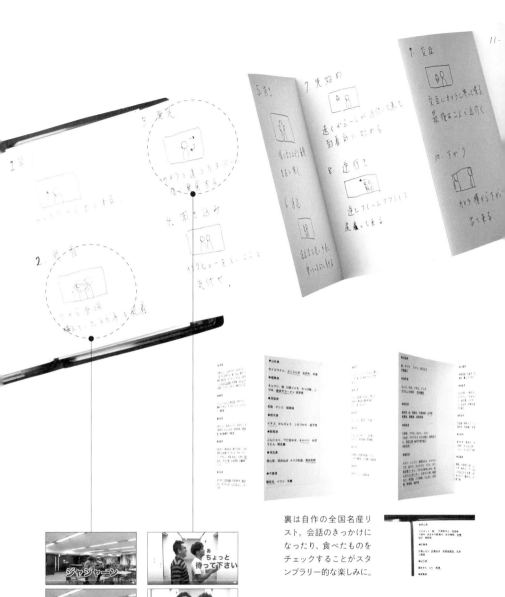

芸歴20年。いとこお笑いコンビ・なすなかにしは、漫才からロケまで定評があるベテラン芸人だ。人気バラエティ番組のロケ企画で、ボケ担当の中西茂樹さんが〝なすなかにしロケマニュアル〟として取り出したのが、付箋がびっしりついたパスポートサイズのトラベラーズノートだった。

「よく見ていますね（笑）。はい、愛用しています。文具店で一目惚れして、これ、めっちゃええわと思って」

現在、4冊のトラベラーズノートを用途別に使い分けている。一番惹かれた点はどこだったのか。

「革ですね。傷が刻まれていったらさらによくなるじゃないですか。傷がついて成長していく、よりいいものになっていくというのが、まさに人生みたいだなあと」

ロケマニュアルに加え、特徴が際立つのがネタ帳用のノートだ。多くの段階を経て、ネタのアイデアが台本へと昇華していく様が詰まっている。設定の書き出し→選定→マインドマップ化→デジタルノートとデジタルメモで台本化→プリントアウトして再びネタ帳に貼る→ブラッシュアップ……。かなり複雑なプロセスを踏んでいる。

「漆塗りだといくつもの工程を経ていきますよね。工程があるのってかっこええなと思って（笑）。でも実際、地道な作業なのでなるべく楽しくやりたいんです。1面、2面とゲームみたいにクリアしていくのがいいんですよね。何事においても、楽しいことや遊び心を工程に1個乗っけるのが好きです」

最近では事前に台本提出を求められる現場も多い。つまり最終的にはデータ化が必須。パソコンでネタ作りをする芸人も多い中、手書きにこだわる理由は何だろうか。

「1つは、字を忘れたくない。以前、現場のスタッフ全員が漫才の『漫』の字がわからなかったことがあったんです。パソコン作業が多いと仕方ないとは思うんですけど、そうはなりたくないなって。2つ目は自己満足。完成したときや見返したときに嬉しくなるんですよね。3つ目は、やっぱ

“トラベラーズノート芸人”中西流、ネタの作り方！

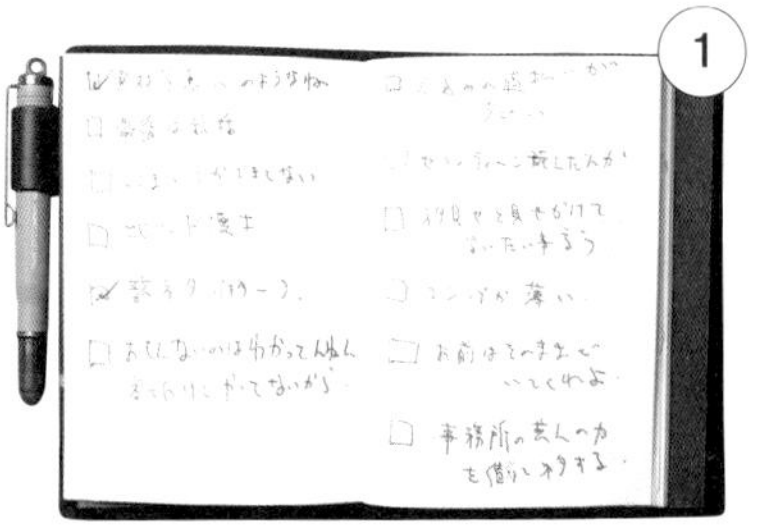

ネタ帳用のトラベラーズノートに、まずは思いついた設定をどんどん書いていく。相方・那須さんが面白いと言ったものにチェックを入れる。

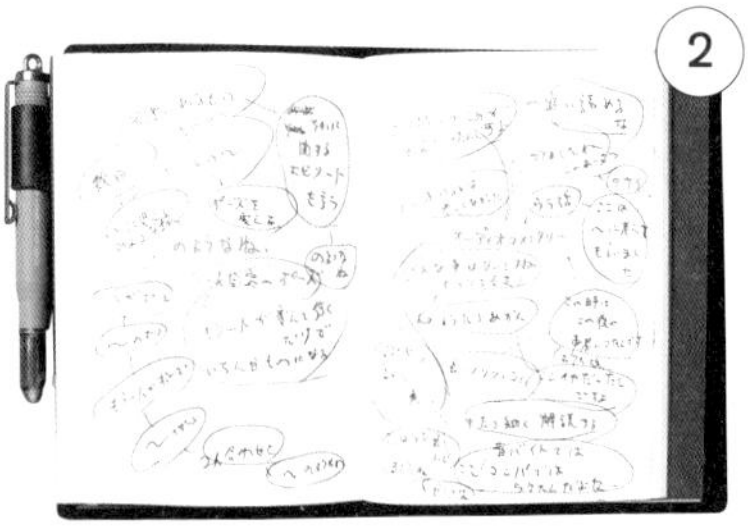

その設定でできることをマインドマップのように書き足し、ネタの大枠を組み立てる。「のようなね」はこの後、単独ライブのネタに昇格した。

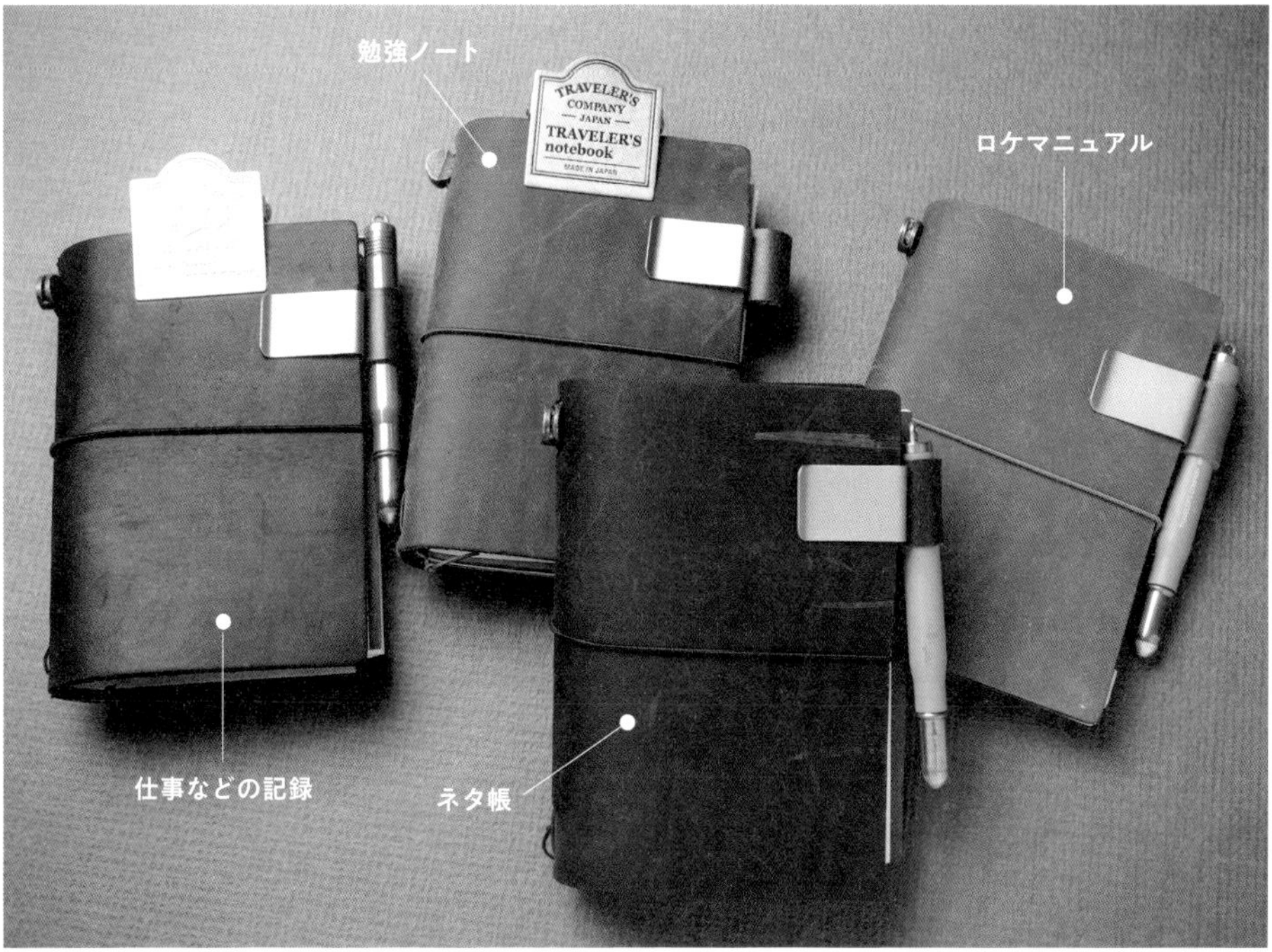

4色のトラベラーズノートを用途ごとに使い分け

ネタ帳などのほかに勉強用、仕事用ノートがある。仕事用には、嫌なことがあるとチケットデザインのメッセージカードリフィルに、"地獄行きチケット"として記録している。

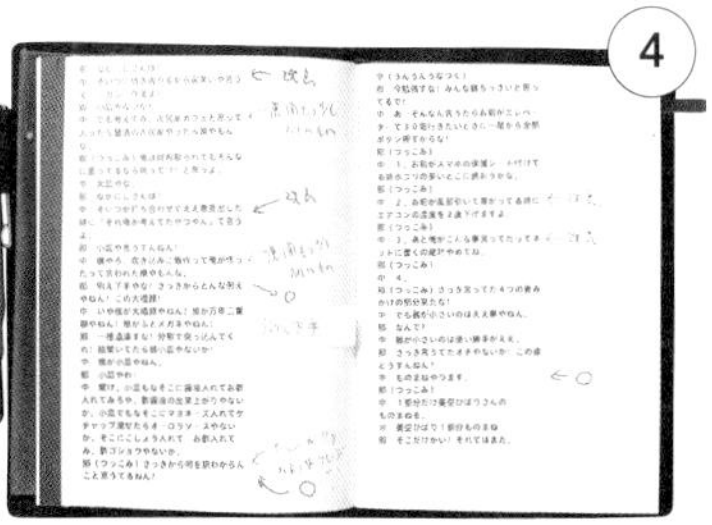

台本をモバイルプリンターでシールプリントしてネタ帳に貼る。舞台でやって気付いた点を書き加えて調整。デジタルを経てアナログに帰結。

次に右のデジタルノート、スーパーノートにタッチペンで手書き入力し、台本のベースを作る。そのあと左のポメラで台本化する。

かっこいいものや珍しいものが好きで、文具以外だと眼鏡にもこだわりがある。白山眼鏡店を愛用し、ソロ仕事のときは赤、漫才では青、ロケ仕事などでは黄色と使い分けている。

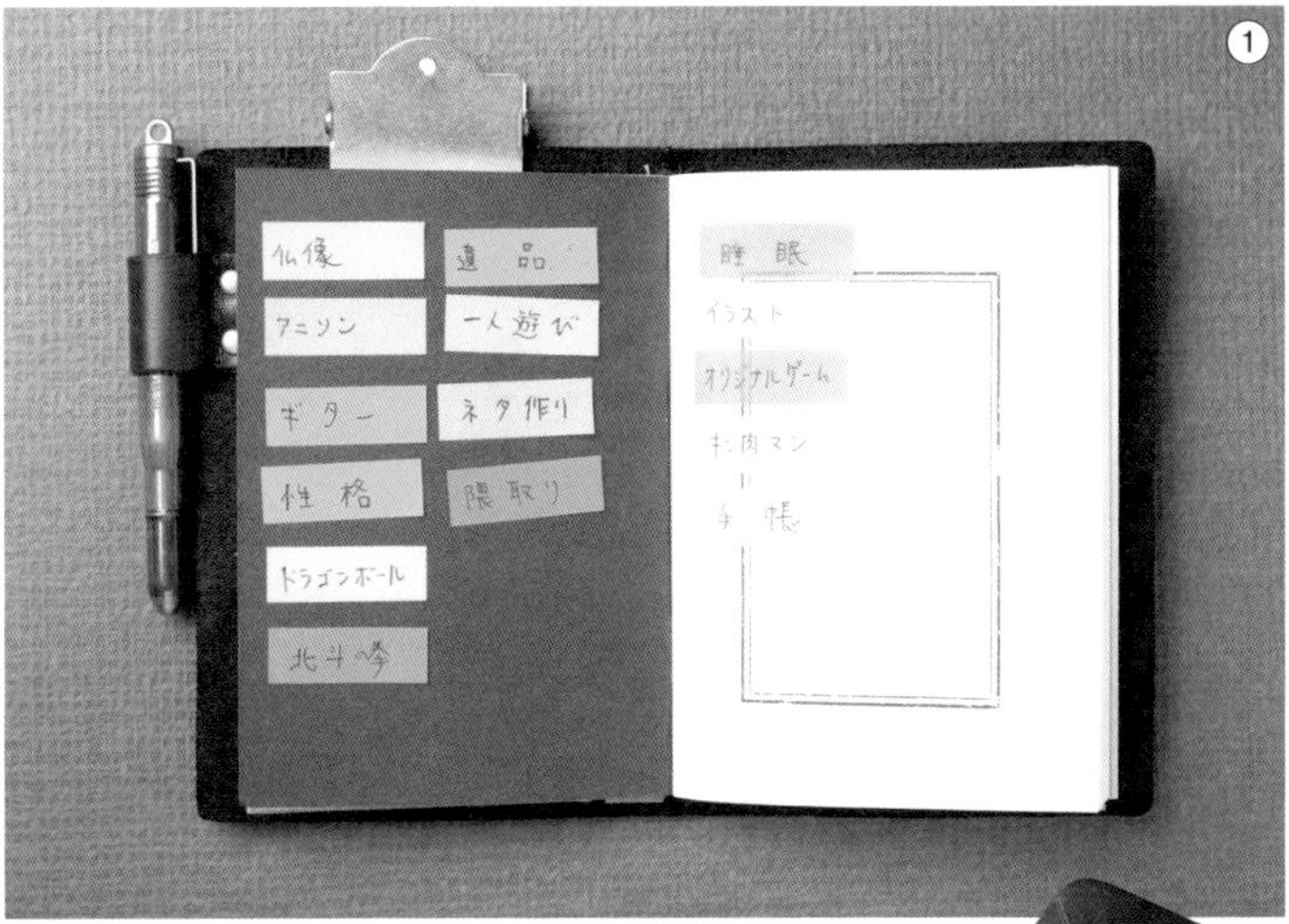

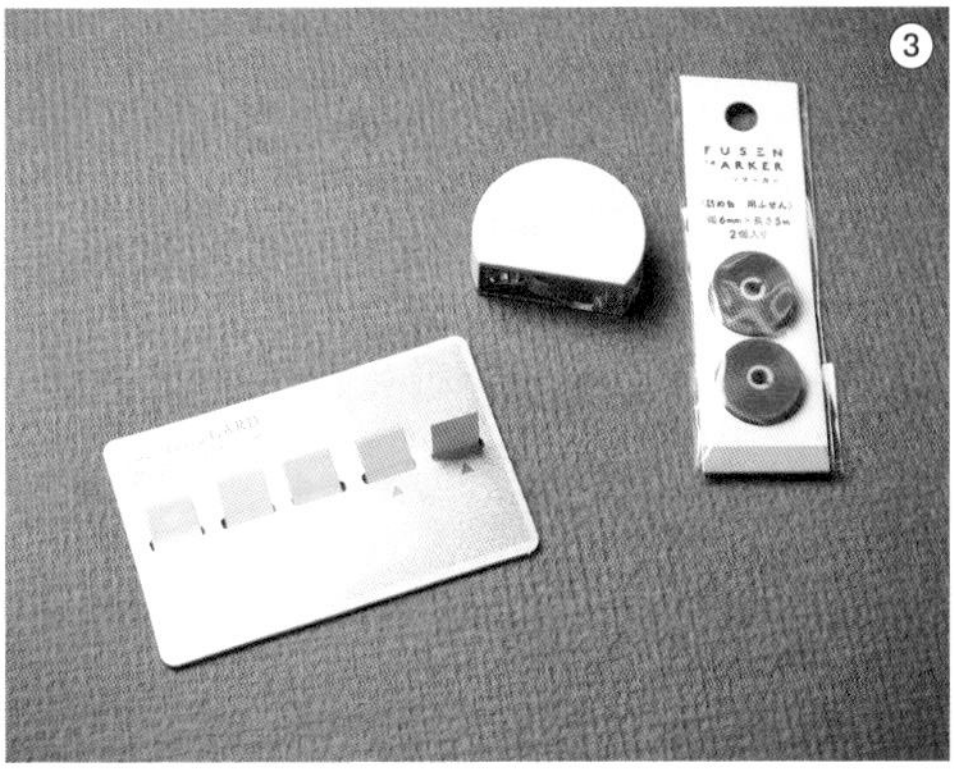

1｜自分の趣味やスキルを付箋にメモし、仕事につながったものは右ページへ移行する。2｜充電式・インク不要のモバイルプリンターはノート作りに大活躍。3｜付箋はマーカータイプと貼ってはがせるタイプを使い分け。ネタ順の入れ替えにも使うなど欠かせない。

り手で残したい。いつかひょっとして自分たちの資料館ができることがあったとして、打ち文字やデジタル機器しかなかったらなんか嫌なんです。手書きだからこその味がある。海賊船の船長の日記が出てきてそれがワープロで書かれたものだったら、味せえへんでしょ。『ワープロかい！』って思ってしまう気がするんです」

書き文字には、その人の個性やその時々の感情が詰まっている。それを想像できることが面白くて好きだと中西さんは言う。

「昔、東京に出てきたばかりで仕事がない頃に、母親がよく手紙を送ってくれたんです。たまに荒れた字のときがあって、応援してくれているけど内心怒ってるんちゃうか……？と焦ったりして。頑張らなあかんと気が引き締まりました」

プライベートでは1児の父。家族ができたことで、形にして残したいという思いがより強くなった。ネタも〝資料館〟に収蔵される作品も、手と紙の上から、本人らしさたっぷりに日々生み出されている。

06

SCRAP BOOK

言葉以上のコミュニケーションができる僕のパスポート

細井研作さん／KEN 3 TV、ライフログ・アーティスト

TOKYO

細井研作さんとトラベラーズノートの付き合いは10年以上。たくさん積み重ねられたノートはどれも厚みがあり、思い出の詰まり具合が一目でわかる。根っからのノート好きかと思いきや、「実はもともとは生粋のデジタル人間なんです。写真もスケジュールもメモもスマートフォンひとつでしたから、自分でもまさかこんなにアナログなノートにはまるとはと、驚いています」と細井さん。

早くからデジタル技術を駆使した作品作りを行ってきた細井さんは、アナログなものに対してある種の憧れを抱いてきた。

「たとえば2009年頃にブームがあったZINE。世間では『紙の本はもう終わる』とさんざん言われていたのに、イベントに行ってみると大盛況。紙を愛する人たちが思い思いの表現を熱く語っている様子は衝撃的で、心に残っていました」

細井さん自身もiPhoneで撮影した写真をプリントした写真展を開催するなど、アナログな表現の広がりに新鮮さを覚えてワクワクしていた頃、友人に教えてもらったのがトラベラーズノートだ。

「革を切っただけの無骨でシンプルなカバーがかっこよかったし、ウェブサイトに載っていたたくさんの素敵なストーリーやコンセプト、製造背景にも惹かれました」

しかし絵も描けなければ、字を書くのも苦手。細井さんが行き着いた表現方法は「貼る」ことだった。プリントしたスマホ写真やショップカード、パンフレット、半券、ステッカーなど、ひとまず思いつく限りのものを貼ってみた。L判サイズの写真はそのままでは貼りづらく、「じゃあ切ってしまおう」と考えたことでより自由なノート使いができるようになった。

「ノートは書くものだ、という思い込みがあったけど、そうじゃなかった。歪んでいてもまとまりがなくても、貼るだけでいい。貼るのに才能はいりません。それが許されて、決まりや思い込みから解放してくれたのがトラベラーズノートなんです」

貼ることで見出した楽しさを共有しよう

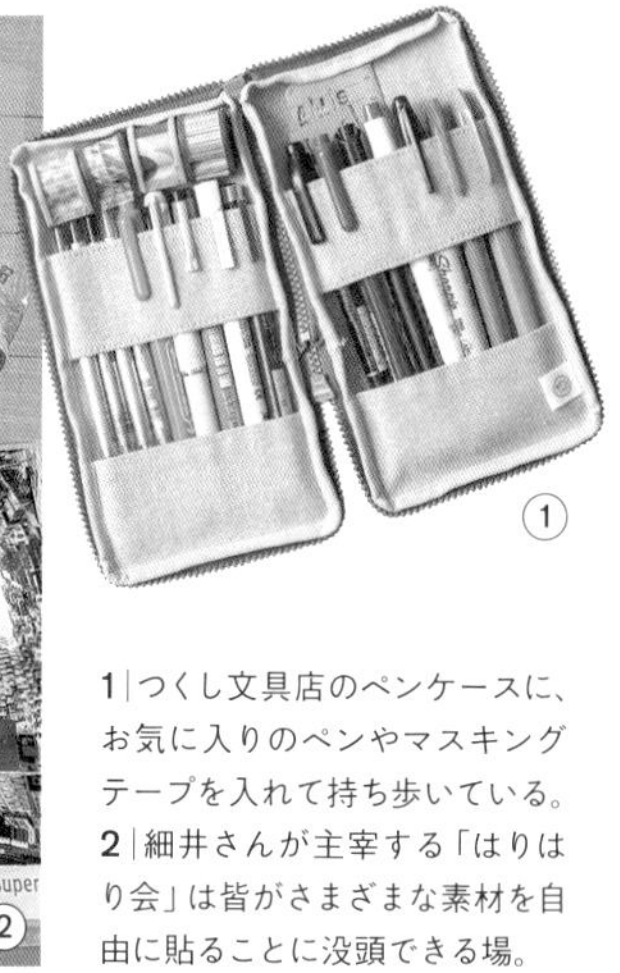

1｜つくし文具店のペンケースに、お気に入りのペンやマスキングテープを入れて持ち歩いている。
2｜細井さんが主宰する「はりはり会」は皆がさまざまな素材を自由に貼ることに没頭できる場。

韓国での
食べ歩きの記録

旅行中の食事はスマートフォンで撮影するのが習慣。以前はデジタルで残すだけだったが、トラベラーズノートに出会ってからはプリントして貼るようになった。

香港での
トラベラーズノートイベントの記録

香港でのトラベラーズノートイベントでは多くのユーザーとの出会いがあった。ノートさえあれば、言葉はなくてもコミュニケーションできる。

“絵や字がうまくなくてもいい 貼るのに才能はいらない”

台湾での
食事の記録

台湾の名店「度小月」で、名物の担仔麺（タンツーメン）に舌鼓をうつ。文章もイラストも、紙やシールを“はりはり”して構成するのが細井さんらしい。

台湾で訪れた
お店の記録

旅行中、ノートはスタンプ帳にも早変わり。写真だけでなく包装紙やショップカード、チケット、レシートなど“はりはり素材”はどんなものでもOK。

屋号「KEN3 TV」をはじめとするオリジナルスタンプでカバーをカスタマイズ。

“ノートの数だけ旅があり 出会いと感動がある”

と、「はりはり会」も主宰し、仲間もノートもどんどん増えていった。旅の思い出で膨らんだノートは細井さんと共に、いつしか世界中を旅するようになった。

「香港でイベントに参加したとき、マレーシアやタイ、インドネシア、中国、韓国からユーザーが集まる場で、英語が全く話せない僕でもノートがあるからコミュニケーションできた。皆が僕のノートを見て笑顔になり、本当に楽しくて、来てよかったと思いました。僕のノートほど、人に触られているノートはないんじゃないかな」

最近ではリアルイベントがなくなり、はりはり会の開催も気軽に旅することも難しくなった。その状況下でも、細井さんはよく通る都内の公園に出かけ、ピクニックをしながらノートを開くという新しい楽しみを見つけている。

「一人で風に吹かれて、ページがめくれるのもまたいいなと。ノートを使い始めてから10年以上経ちますが、まだ新しい楽しみ方ができるんですね」

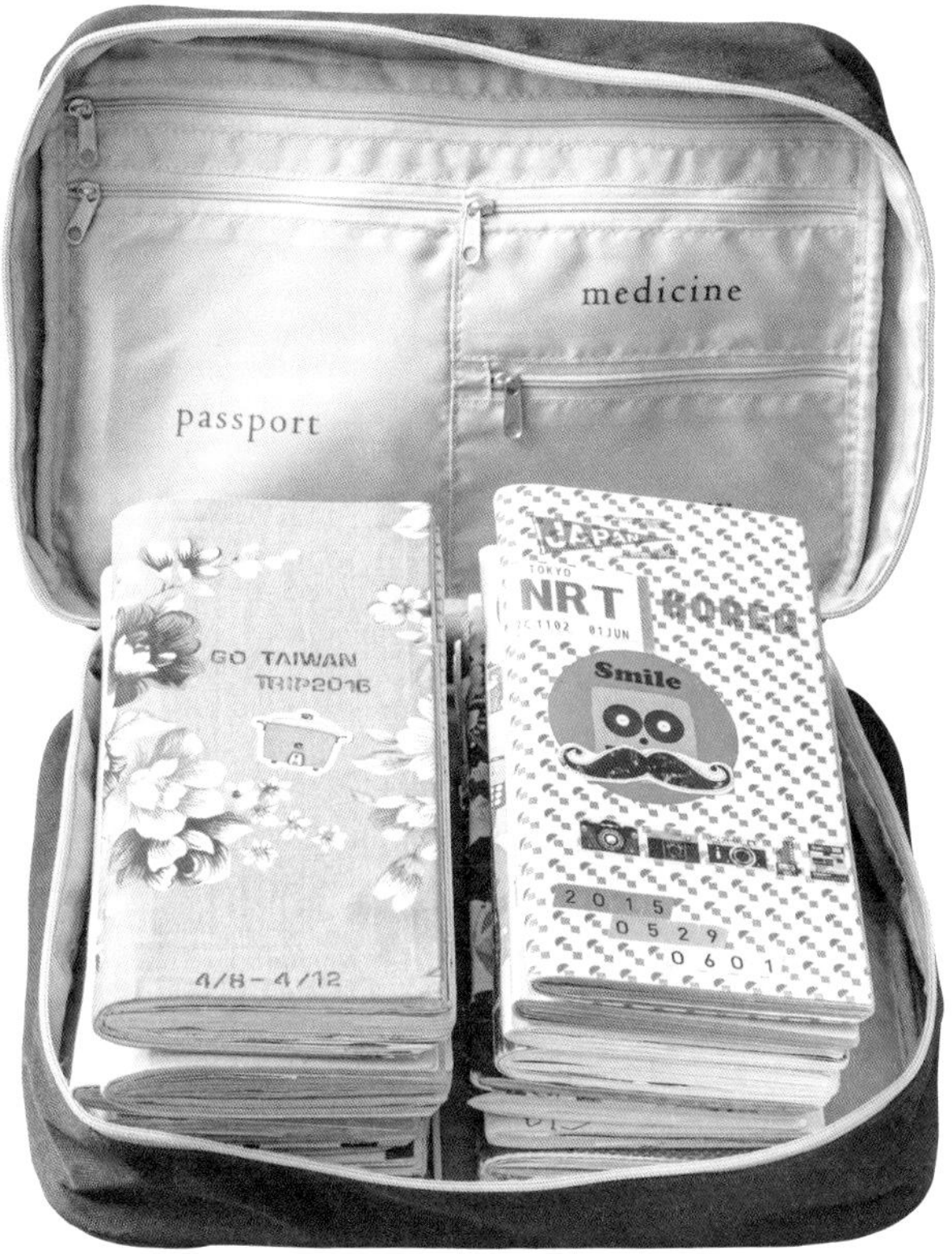

イベントなどでノートを持ち歩くときは、旅行用の小分けポーチを愛用。サイズもぴったりで、中身がバラつかないので重宝している。

Q&A

トラベラーズノートの愛用歴は?	約10年
無人島へノートと共に持っていくなら?	未来のソーラー充電式iPhone
トラベラーズノート作りの相棒は?	iNSPiCとinstax（写真プリンター）

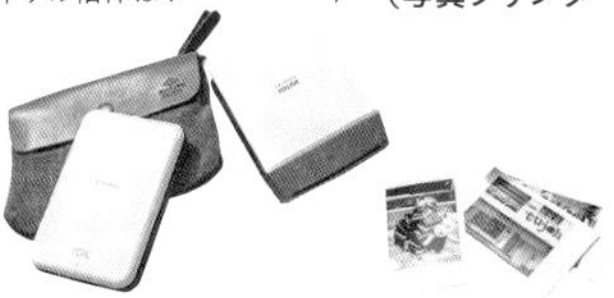

台湾の記録ノートには現地で買った布を貼るなど、リフィルの表紙と中面の内容が連動するようにカスタマイズしている。

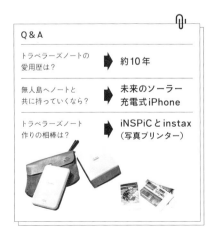

07

PERSONALIZE

島と島を行き来する
フェリーのように
人々をつなぐノート

パトリックさん／文具バイヤー

1

2

4

3

1｜愛用しているレンブラントの固形水彩絵具で描いたアート。**2**｜リフィルの表紙は、中面のテーマと関連したステッカーをコラージュしてカスタマイズ。**3**｜レザーカバーはスタンプ、ペンキ塗装、レーザー刻印などさまざまなバリエーションに挑戦。**4**｜メインで使うノートには汽車と飛行機のチャームを付けて。ブラスペンは、薬品を使ってわざと変色させている。

香港のシティ・スーパーをはじめ、上海や台湾のライフスタイルショップでステーショナリーバイヤーとして活躍しているパトリックさん。インスタグラムやブログでたびたび登場するトラベラーズノートはどれもノート愛にあふれ、ノートライフを楽しむためのアイデアが満載だ。

トラベラーズノートとの出会いは2005年。ISOT（国際文具・紙製品展）で最初のコンセプトが発表されたとき、ブースを訪れていたパトリックさんは、一目見て「I love it!」の第一印象を持った。

「まずはデザインが素晴らしいと思いました。それに加えて、ブースにいたプロデューサーから聞いたコンセプトにもとても共感できた。大きな可能性を感じて、帰国後すぐに1冊送ってもらい使い始めました。そのときのノートは今も大切にしています」

数々の文具を目にしてきたパトリックさんが考えるトラベラーズノートの一番の魅力は、使う人の個性に合わせてパーソナライズできる点だという。

Q&A

トラベラーズノートの愛用歴は？	約15年
無人島へノートと共に持っていくなら？	マニュアル・ファクトリー・ベアー
トラベラーズノート作りの相棒は？	好奇心と挑戦マインド

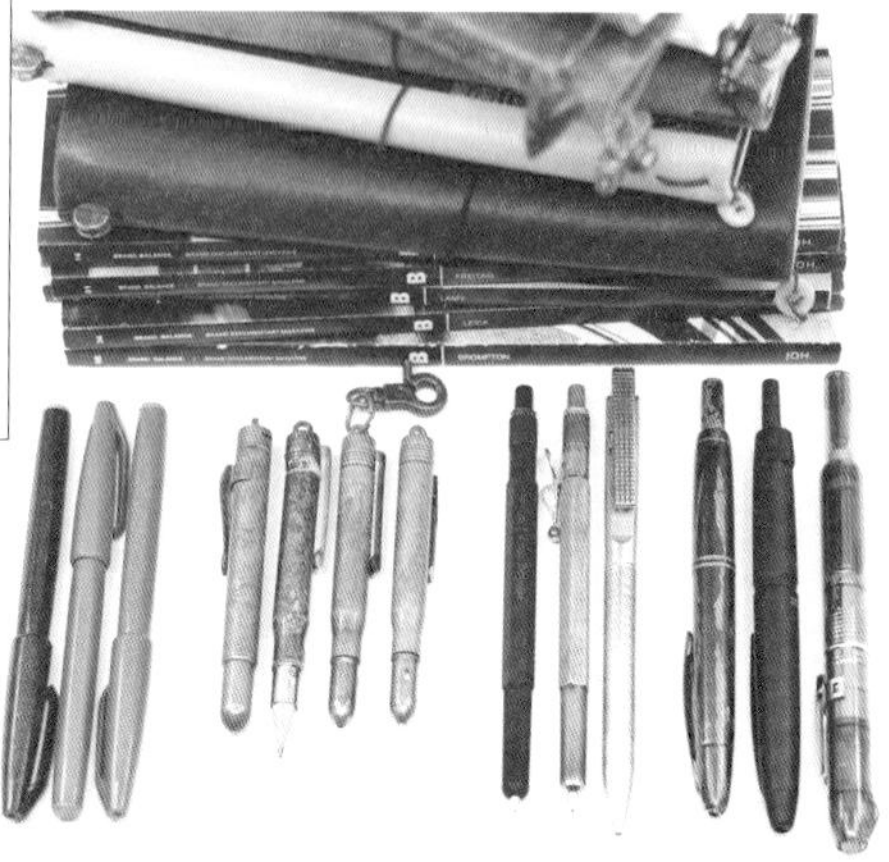

サインペンやブラスペン、製図ペンなどを愛用。万年筆はワンアクションで筆記できるノック式のタイプを使用。

スケジュールやミーティングメモ、ToDoリストなどビジネスシーンで使いやすいようにカスタマイズした1冊。

“中身もカバーも工夫を重ねた唯一無二の相棒”

メモ用ノートは取り出しやすさ重視

打ち合わせでのメモや、アイデアメモとして使うノートはゴムで固定せず、しおりで挟んだだけで持ち歩く。リフィルだけをさっと取り出すのに便利。

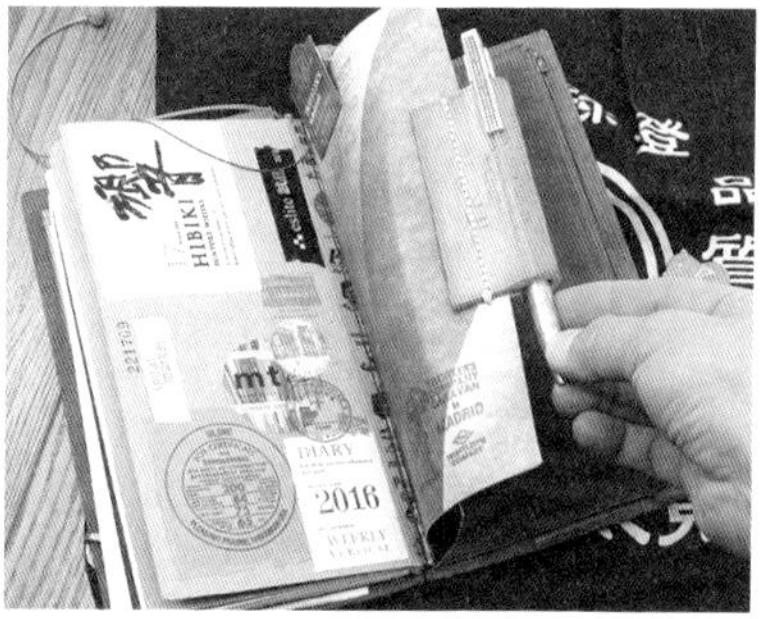

自作のペンホルダー

太さのあるペンでも挿せるようにと、耐水紙にレザーを縫い付けてペンホルダーに。なければ即座に作ってしまうフットワークの軽さがパトリックさんらしい。

「商品発売後にさまざまなショップで取り扱いを始めたとき、使用例として店頭でサンプルを展示していたのですが、お客様からはよく『新品より、そっちのサンプルが欲しい』と言われたものです。世界的に愛されている有名なノートはほかにもありますが、トラベラーズノートほど、一人ひとりに合わせてパーソナライズできるノートはありません」

　パトリックさんも、自身の使い方に合わせて使いやすくカスタマイズをしている。革のカバー一つひとつにストラップやチャームを付けるのはもちろん、ファイルやペンホルダーを自作することも多い。カバーをペイントしたりエングレーヴィングしたり、リフィルの表紙にステッカーを貼ったり。こうして自分仕様に馴染んだトラベラーズノートは、パトリックさんにとっては15年来の旧友のようなもの。そしてこの旧友は、新たな友達とのつながりを作ってくれる存在でもある。

「トラベラーズノートは、ユーザーが集うオフィシャルイベントやユーザーが個人的に主催するファンミーティングが多く開催されます。直接顔を合わせて、皆がそれぞれのノートをシェアし合うのが面白いんです。ノートを通して、私にもたくさんの新しい友人ができました。一人ひとりが島だとしたら、トラベラーズノートは島を行き来するフェリーだと思うんです。自分だけのトラベラーズノートが、まるで島から島へと運航するように、新しい出会いの場へ連れていってくれるんです」

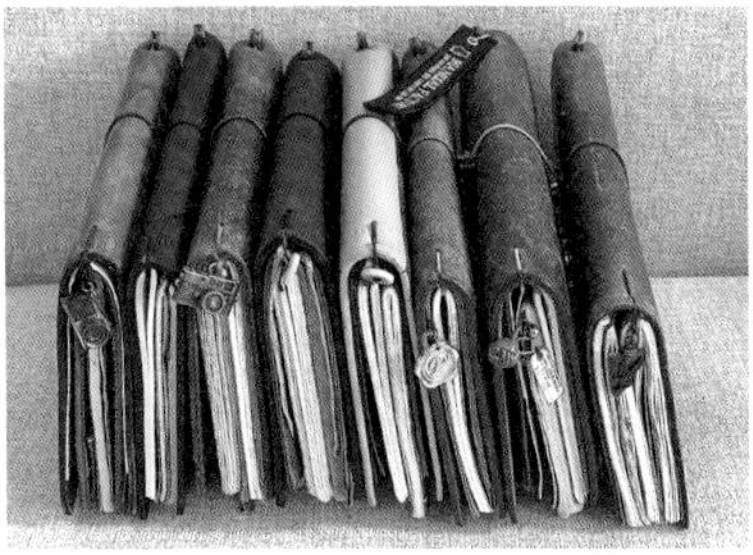

トラベラーズファクトリー店舗限定モデルやコラボモデルなどカバーも多数所有。チャームやペイントなどによって一つひとつ愛着がわくようカスタマイズ。

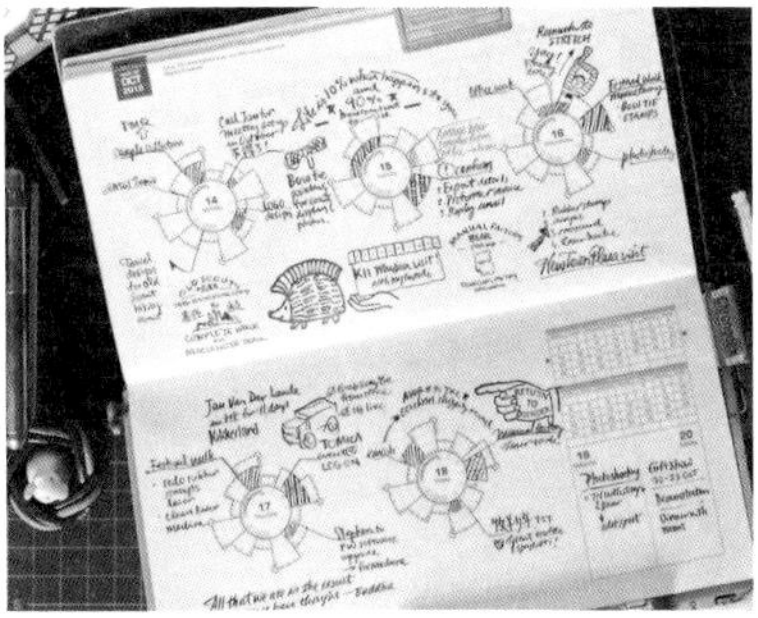

オリジナルスケジュールで時間管理

スケジュールは、パトリックさん考案の時間管理ツール、クロノデックスで。トラベラーズノートに合わせたフォーマットで、ダウンロードで配布している。

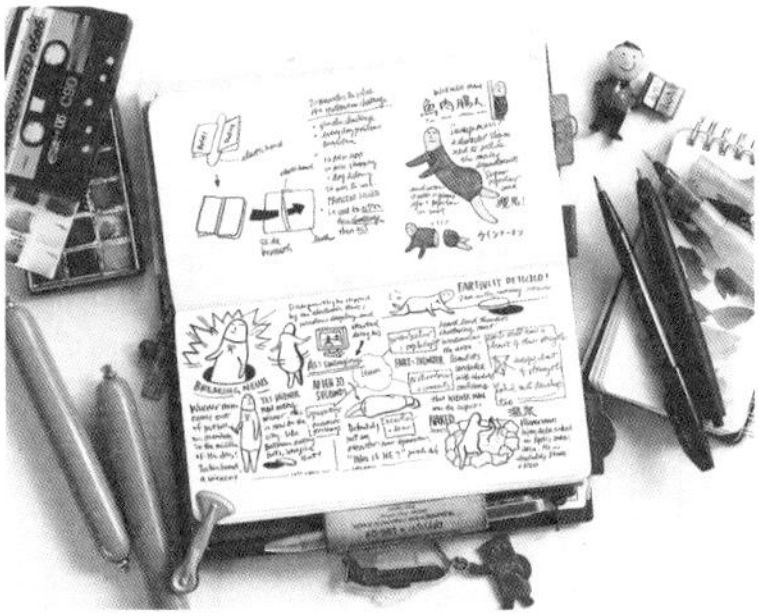

ビジネスアイデアが生まれるドローイング

絵も得意なパトリックさんは、ミーティング中に浮かんだアイデアをイラスト化して残すことも多い。書き留めた内容が新商品の企画として採用されることも。

08

FREE STYLE

気ままに綴る
頭の中に浮かんだ
言葉のアーカイブ

庄野雄治さん／コーヒーロースター

徳島県にあるアアルトコーヒーの店主、庄野雄治さん。トラベラーズノートとの最初の出会いは、ノートの発売開始からまもなくのこと。好みの違いはあっても揃ってコーヒー好きだったトラベラーズノートのチームが、アアルトコーヒーを訪れたことがきっかけだった。

「僕は何においてもフィジカルな要素があるものに惹かれます。手で触れられるものや、直接体感できるもの。傷が増えたり錆び付いたり、朽ちていく様子も好きなんです。新しいものはいつでも買うことができるけれど、時を経たものは買えないし、一つひとつ違うのがいいところ。だからトラベラーズノートともフィーリングが合ったのだと思います」

ノート歴は15年と長いものの、庄野さんには執着も気負いもない。書きたいときに書く、自分に無理強いはしない。ずっと庄野さんらしい距離感で付き合ってきた。

書き留めるのは本を読んだり旅に出たり、コーヒーを飲みながら考えごとをして

もともと文具好きでもなければ、ノートやペンに関するこだわりも強いわけではない。ブラスボールペンのほか、思いついたときにパッと手に取れる筆記具で書き留めるのが習慣。

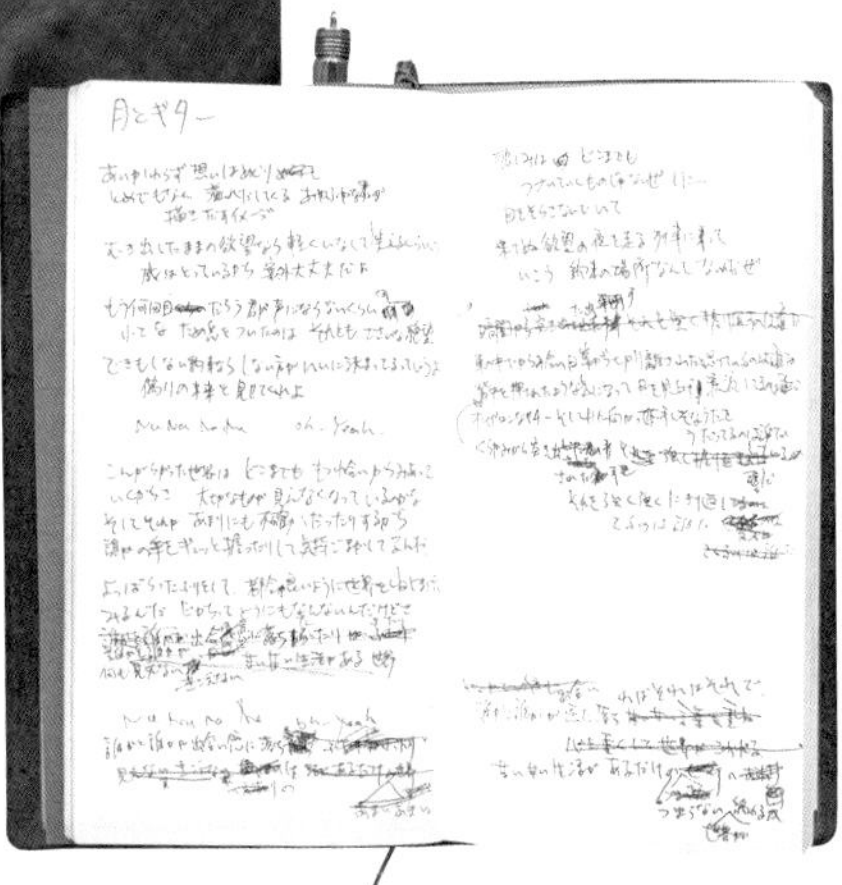

ゴムバンドにはコーヒー豆のチャームを付けている。上のページ中面に書き込んだのは「月とギター」と題した詩。不思議とコーヒーに関するメモはとることがないという。

Q&A

トラベラーズノートの愛用歴は？	約15年
無人島へノートと共に持っていくなら？	ナイフ
トラベラーズノート作りの相棒は？	ブラスペン

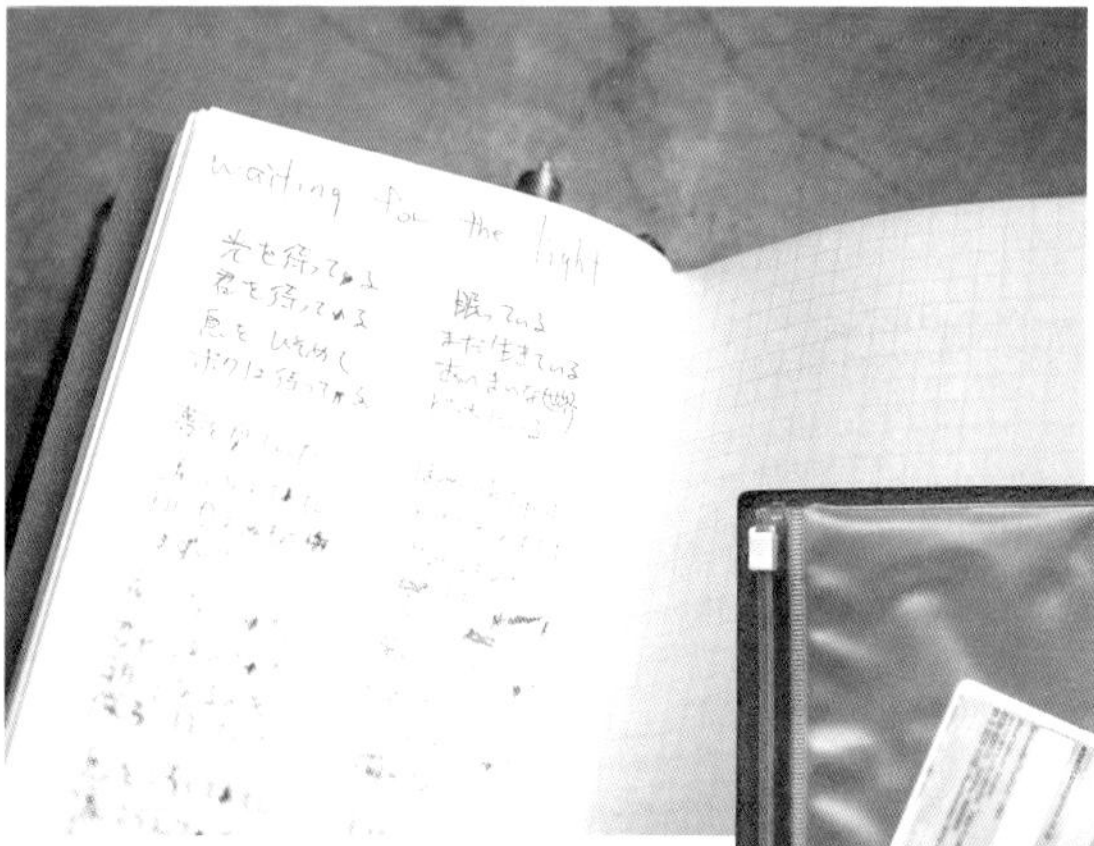

短いフレーズを連ねた詩は、まるで歌詞のよう。ペンを走らせて綴った言葉を消したり書き直したりすることは、庄野さんにとって思考の過程を残す大事な作業。

財布代わりとしても使うノート

荷物は少なくいつも身軽な庄野さん。ジッパーケースに現金やカードを入れておけば財布もいらないと気付いてから、このノートひとつを持って出歩くことも多くなった。

**“ すぐに書き留めるのではなく
記憶に残った言葉を綴る ”**

トラベラーズファクトリーで販売されている、トラベラーズノートをイメージしたオリジナルブレンドのコーヒー。口当たりはすっきりで、ほんのり苦く、優しい後味が特徴。

「15年ほどロースターをやってきて、コーヒーの味わいが安定してきたと思えるようになったのはここ数年。今後はずっと見守ってくれたお客さんへの恩返しだと思っています」。

いるときに頭の中に浮かんだ、自分なりの言葉やアイデアだ。

「以前は頭の中に留めておくだけで書き出すことはなかったけれど、ノートを使い始めてから書くようになりました」

そうした言葉は、ときに小説や詩のような連なりになることも。だからといって特別に扱うわけでもなく、関わっているメディアの紙面構成など仕事絡みのメモから、生活に必要なパーソナルな情報まで、すべて同じノートに書き連ねている。

何にも誰にも強制されることなく、気の赴くままに楽しむノート。その傍らにふさわしいコーヒーとして庄野さんが考えるのは「おいしさを主張しない、意識させることもないくらいの、誰でも飲める水のようなコーヒー」だ。

「『こうじゃなきゃいけない』ということがなくて、放っておいてくれるくらいのほうがいいんじゃないかな。コーヒーもノートも。だっておいしいとか楽しいって、人によって違うものですから」

Column

取材してわかった ユーザーの ノート使いのポイント！

ライフスタイルに合わせて
自由自在にノートを楽しんでいる
トラベラーズノートユーザーたち。
彼らのノートとその周辺には、
多種多様なアイデアが満載だ。
ぜひあなたの楽しいノートライフの参考に！

“2サイズ持ち”が主流!?

▲細井研作さん

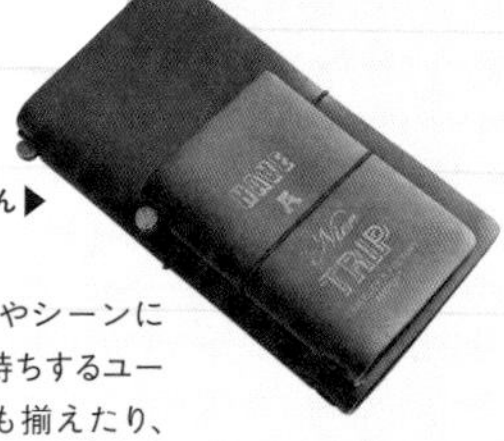
まいこはんさん▶

ふたつのサイズは好みやシーンに合わせて使い分け。2冊持ちするユーザーも多い。カバー色も揃えたり、あえて違う色を選んだり。家に置く用、持ち歩き用などに分ける場合も。

限定品や新商品のお試しにも積極的！

▼滝口重樹さん

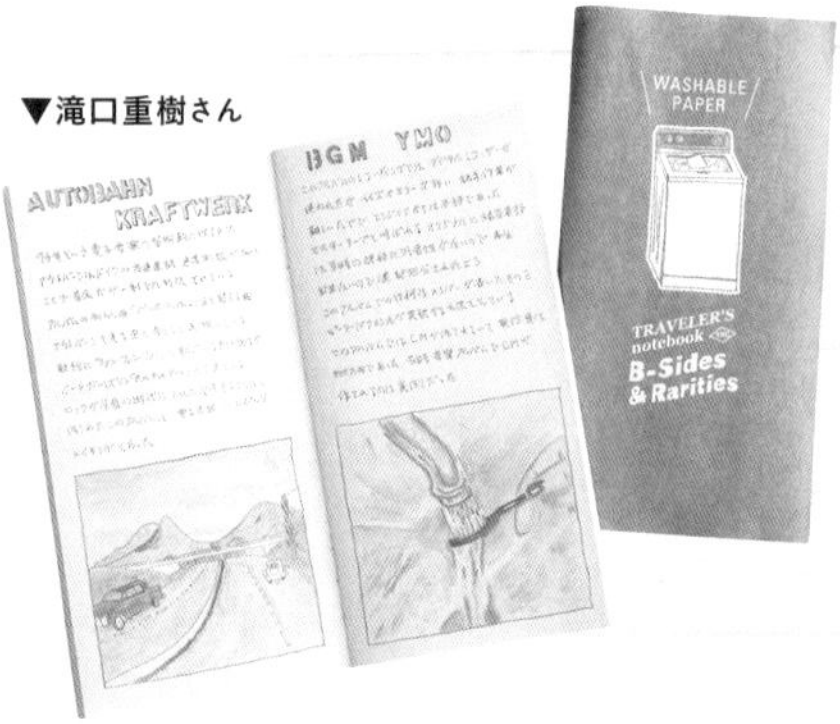

▼山田稔明さん

今回の取材では、リフィルやカバーで新商品やコラボ商品などを使っている人も多かった。自分に合ったスタイルを求めて、さまざまなリフィルをハシゴする人も。もちろんお気に入りの“自分の定番”を使い続けるのもいい。

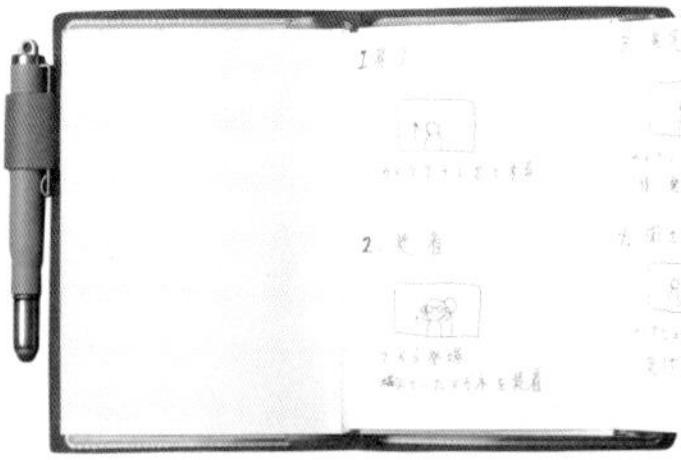

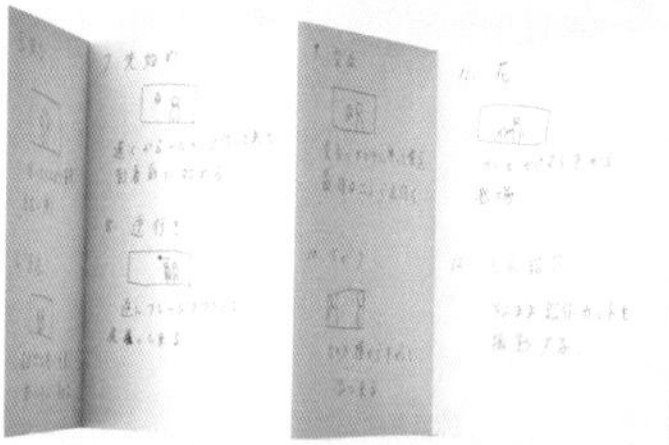
▲中西茂樹さん

クリップは必須アイテム！

◀成田秀さん

筆記時はもちろん、書いたノートを撮影するときに役立つアイテムがクリップ。オフィシャルアイテムのブラスクリップは適度な重さがありページを美しく留め置いてくれる。

リフィル表紙も自由にコラージュ

▲パトリックさん

▼Akiさん

リフィルの表紙もカスタマイズ！　好きなシールやテープ、旅先や買い物で手に入れたステッカーや包装紙を貼ったり、イラストを描いたりと、思い思いに楽しんで。

保管方法も十人十色

▼ミニ・マイナーさん

書き溜めたノートは、保管しておけば将来見返すことができるのがいいところ。袋に入れる、専用バインダーを使う、ボックスに入れるなどライフスタイルに合わせてぜひ保管を。

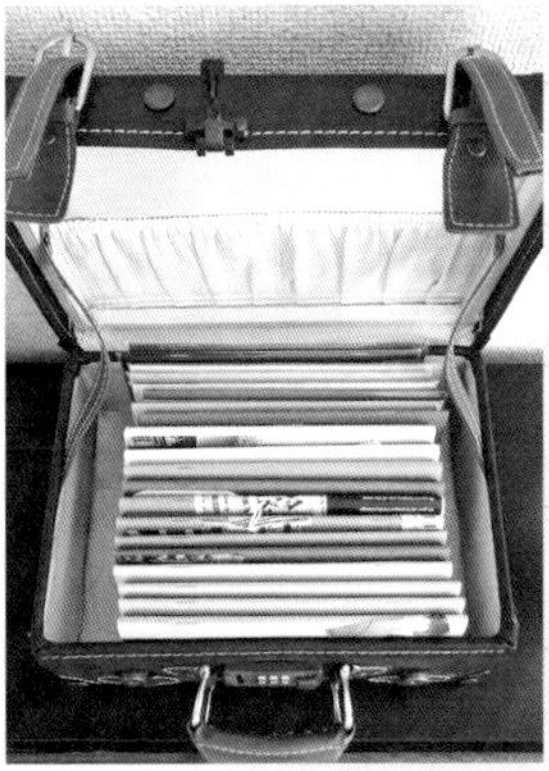

▲あい@ゆる旅人さん

Tamyさん▶

愛用の道具の目利き多し！

◀河野仁さん

ミニ・マイナーさん▶

ノートと切り離せない関係の文具は、ユーザー同士での情報交換も盛ん。手に入れやすい安価なペンから、海外製のプロ御用達品まで、自分のスタイルに合わせて選ぼう。

メイちゃんと私の発見の日々

なぎねすさん／イラストレーター
Instagram：@hobonekonohibi

09
4-FRAME CARTOON

無印良品の4コマメモを愛用

コマ枠は無印良品の短冊型メモを使用。保管するときはテープ糊で四隅を貼ったり、シールで留めてデコレーションしたりしている。

筆ペンとグレーのマーカーで描く

筆ペンとグレーのマーカーで線と影を描くが、ペンについてはまだ模索中。このほかネタ帳としてパスポートサイズも使用している。

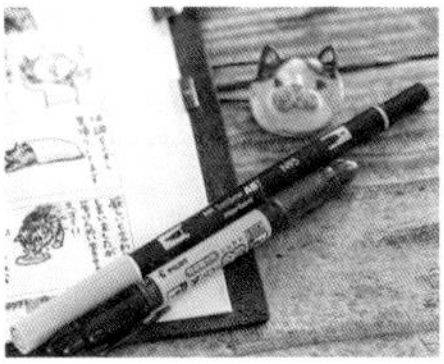

お刺身が嬉しくて片足が上がったり、ドライヤーから逃げたりと、表情豊かに描かれる猫のメイちゃん。なぎねすさんの飼い猫であり、4コマ漫画の主人公だ。

メイちゃんとの出会いは2018年。前の飼い主さんが亡くなって保護団体に引き取られたオス猫で、当時すでに10歳を迎えていた。「男の子だけどメイちゃん。飼い始めてからメイちゃんのかわいさを誰かに伝えたくて、ブログに4コマ漫画の投稿を始めたんです」。

作品をインスタグラムでも発信するようになってからは、猫好き、動物好きの人だけでなく文具好きの人にも見てもらえるようになり、こんな世界もあったのだと、新鮮な気持ちでいるという。

こうして描き溜めた作品の保管方法を探していたとき、ふとトラベラーズノートのリフィルに貼ってみるとサイズがぴったりだった。それからはレギュラーサイズを漫画の保管用として使っている。

4コマ漫画は新しい表現方法にもつな

お気に入りエピソード
“「猫じゃらしに食いついたメイちゃん」”

メイちゃんに猫じゃらしを見せた途端、勢い余って穂の部分まで食べてしまったそう。魚の骨チャームは100円ショップで購入。

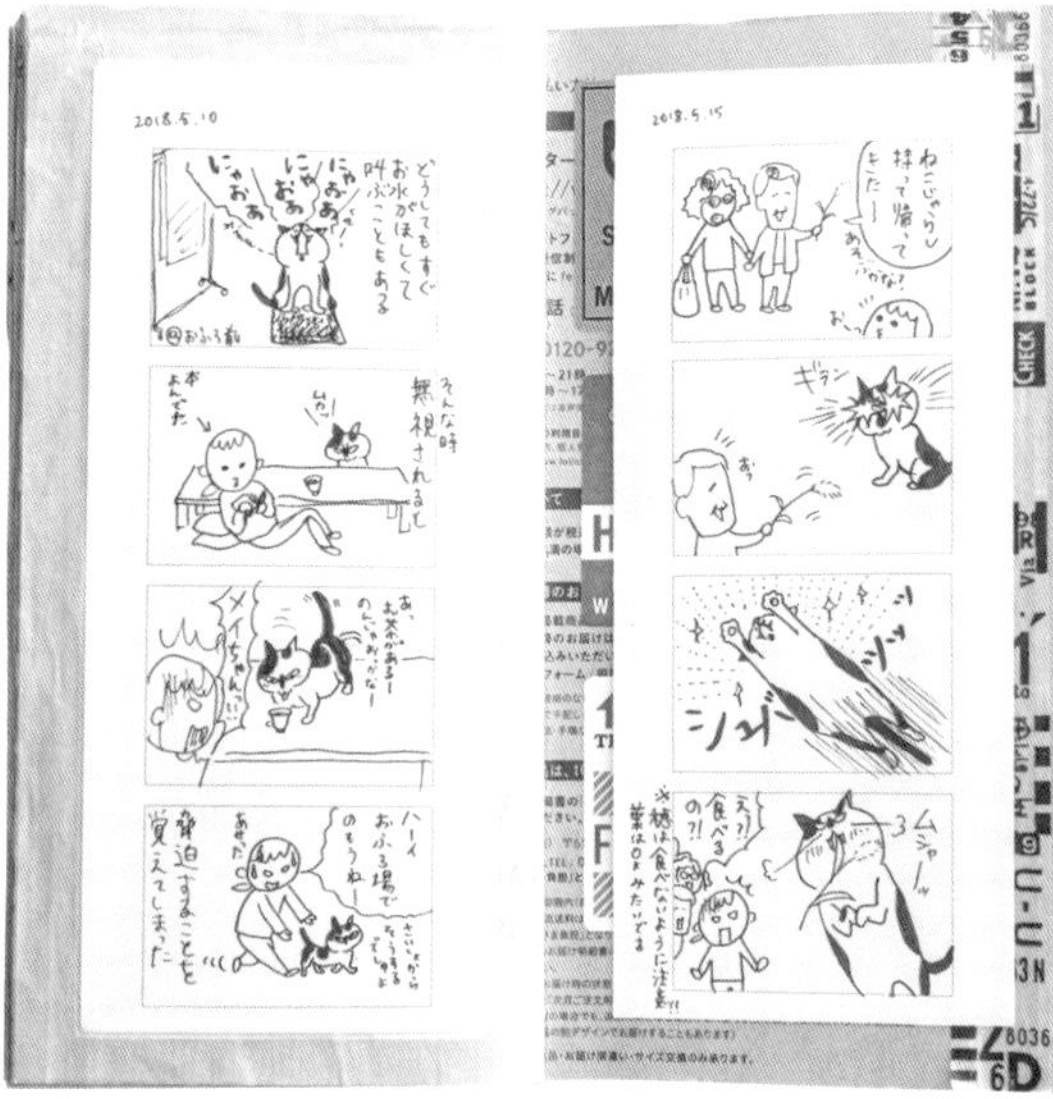

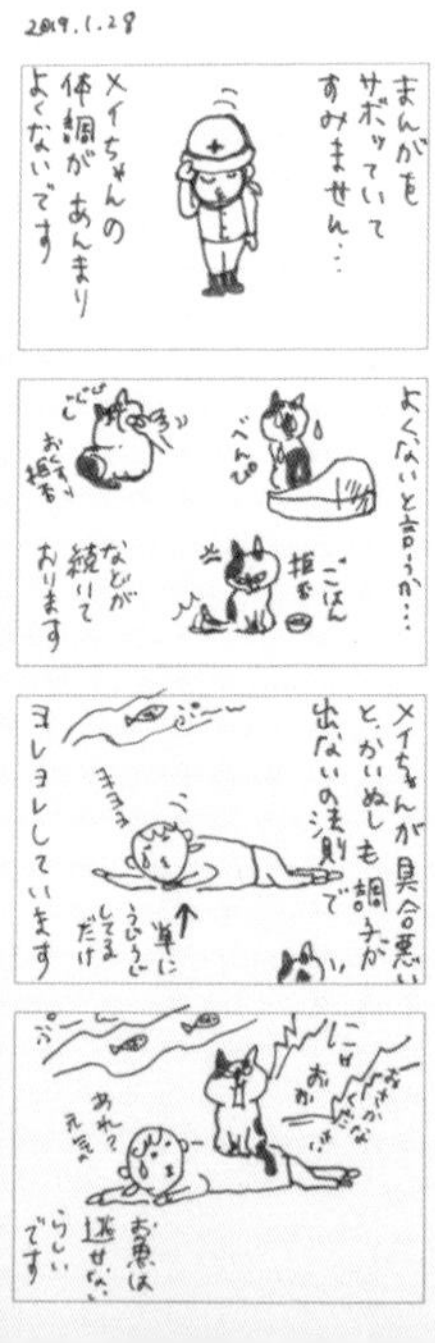

メイちゃんが亡くなったあと、天国で前の飼い主に会っているところを想像して描いた。甘えているメイちゃんが幸せそう。

好きな作品
“「天国で前の飼い主さんに会えているかな」”

自作のジャンクジャーナルを保管ノートに

包装紙や紙袋を使って作るスクラップブックがジャンクジャーナル。保管したい漫画のページ数に合わせて作る。

Q & A

トラベラーズノートの愛用歴は？	**約1年**
無人島へノートと共に持っていくなら？	**観察するのに必要なメガネ**
トラベラーズノート作りの相棒は？	**4コマメモとシール**

がった。ある日、不要になった紙を集めて作るスクラップブック、ジャンクジャーナルの作り方動画を見つける。

「趣味で集めていた包装紙で、漫画の保管用リフィルを作ってみようと思い立ちました」

レギュラーサイズの大きさに合わせて作ったジャンクジャーナルには、漫画を描き始めた頃のものを保管している。

なぎねすさんと一緒にいろんな体験をしていたメイちゃんは、2019年に旅立ったが、4コマ漫画があれば、いつでもメイちゃんを思い出せる。

「グーグー寝てるところにメイちゃんがドスンって顔を乗せる。それだけでもう幸せみたいな漫画がありまして。思い出深い、大好きな作品です」

ほぼ毎日散歩に行くなぎねすさん。絵で描き留めておきたいから、パスポートサイズのノートをネタ帳として常に持ち歩くようにしている。

「メイちゃんのあとに来た猫、あんちゃんも、後に病気で保護団体へ帰ってから亡くなりました。寂しいけれど一緒に過ごした日々やノートは宝物だし、猫を飼っていなくても、散歩中の出会いや発見が漫画のネタになっています」

ノートのカバーに付けている陶器の猫バッジは、メイちゃんを思い出して贈られたものだという。

「付けていたらカバーに傷がついてしまいますが、それも味があっていいかと。メイちゃんに見守ってもらっています」

「ほぼ猫の日々」と題した4コマ漫画作品は、ジャンクジャーナルを含めすでにノート数冊分になった。本棚に大切に保管し、ときどき見返している。

絵を描くほどに深まり、伝播するYMO愛

滝口重樹さん／イラストレーター
Instagram：@shigedoze

10

YMO LOVER

細野晴臣、高橋幸宏、坂本龍一による音楽グループ、イエロー・マジック・オーケストラ（通称YMO）。彼らの活躍の印象的な1シーンを切り取り、味のある水彩画で表現しているのが滝口重樹さんだ。

　絵を描き始めたのは2019年の春頃。会社を退職して新しい道を歩み始めたとき、文具店で目にしたトラベラーズノートを手に取り、日常の記録の相棒に選んだ。

「最初に使っていたのはパスポートサイズのノートで、持ち歩いて訪れた場所についての絵日記を描いたり、好きな映画や本、音楽について書き綴ったりしていました。YMOも、好きな音楽のひとつとしてアルバム紹介から始めました」

　2020年には京都エディションのカバーを手に入れ、レギュラーサイズを使い始めるきっかけに。より大きな紙面で、1ページの使い方や、リフィルと画材の組み合わせなどさまざまなものを試し、自分なりのスタイルを探ったという。行き着いたのが、1ページに1枚の絵を描き、キャプションは手書きではなくインスタグラムの投稿で綴るという、現在のスタイルだ。

　YMOについて絵を描こうと思うと、必然的に選んだシーンの背景を知ることになる。過去のビデオを観たり、当時の公式ファンブックを購入してくまなく読んだりと、調べる時間は滝口さんにとって特別なものになった。

「長年ファンをやってきたつもりでしたが、いざ調べてみると、まだ知らないこと

①

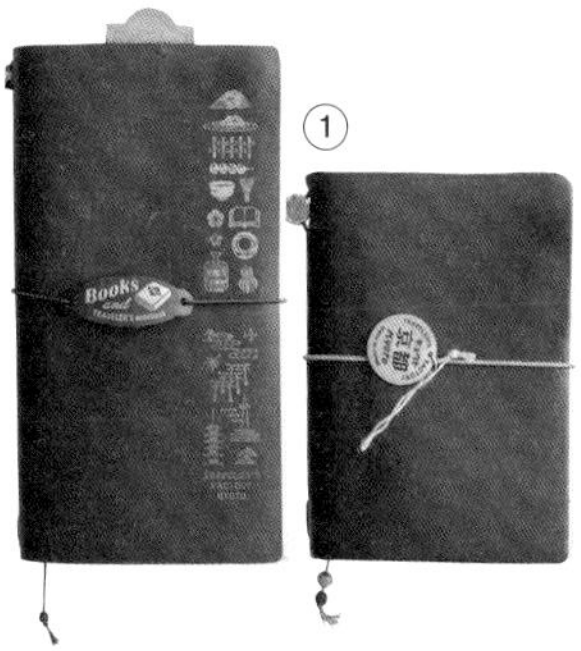

1|レギュラーサイズ、パスポートサイズ両方を所持。2|高橋幸宏さんの軍帽子、細野晴臣さんのベース、坂本龍一さんのサングラスと、メンバーそれぞれの特徴をつかんだイラスト。

②

1｜普段のメモ書きにはブラスシリーズの文具を愛用。ユルリクのバイカラーのペンケースに入れて持ち歩く。
2｜イラストを描き始めた初期の頃は、文章とイラストを1ページにまとめるスタイルだった。色鉛筆や絵具などその時々で使う画材も異なる。

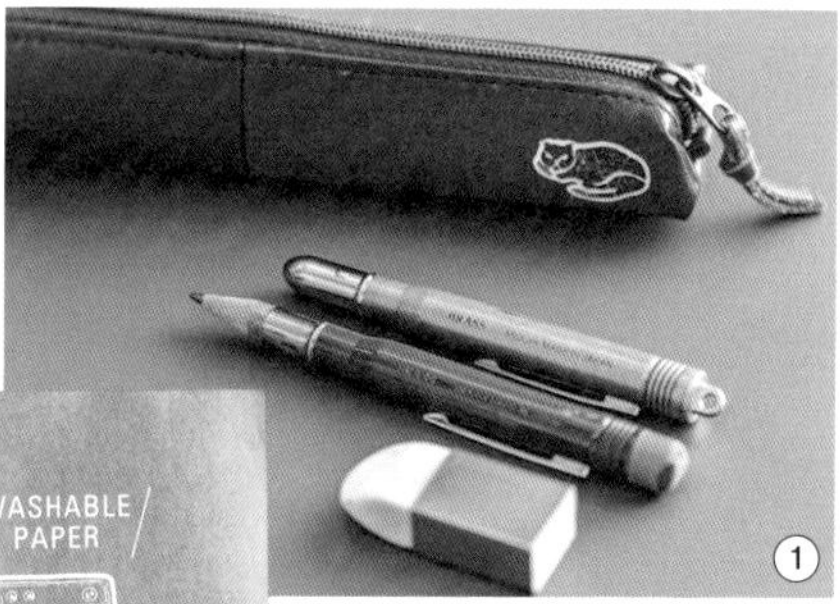

①

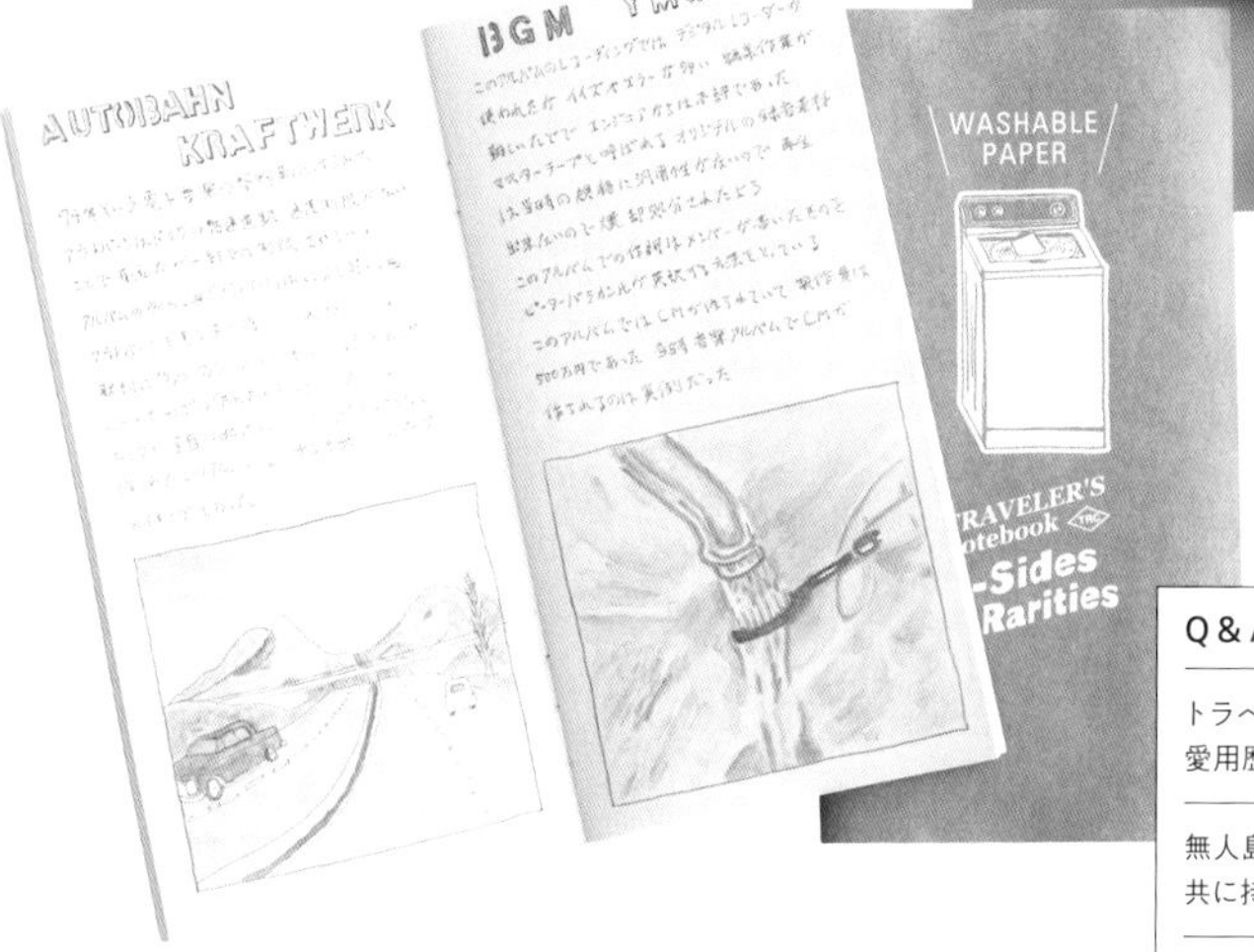

②

Q&A

トラベラーズノートの愛用歴は？	約3年
無人島へノートと共に持っていくなら？	ラジオ
トラベラーズノート作りの相棒は？	透明水彩絵具やオイルパステル

“さまざまなリフィルや画材を試して行き着いた現在のスタイル”

がこんなにあったのか、と驚きがあります。絵を描くことだけでなく、知ることも楽しいんだなと実感しています」

それに加えて、絵の投稿を通じて面識のない人たちと交流ができることも新たな楽しみになった。

「『私もYMOが好きです』とか『素敵な絵ですね』と言ってもらえるのはやはり嬉しいですね。リアルで会うことはあまりなくても、YMOファンは本当にたくさんいるんだと実感します。インスタグラムは若い世代が使っている印象がありましたが、自分よりも年上だと思われる人からの反応もあります」

まるでSNSを通じてYMO愛が伝播するかのように、人とのつながりを生んでいる滝口さんのノート。今後は別のテーマを深めたり、新しいリフィルや気に入った画材を見つけてスタイルが変わっていったりすることもあるかもしれない。そのときは果たしてどんな思いを伝播させていくのか、楽しみは尽きない。

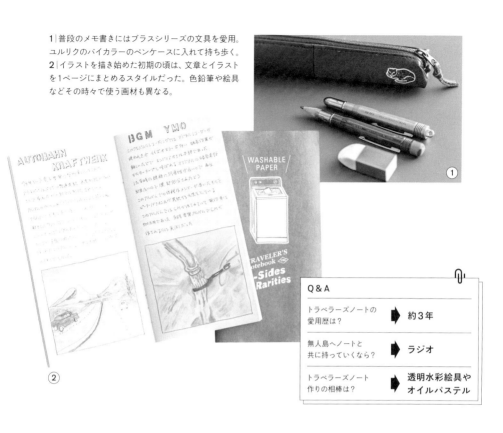

使う画材は
主に透明水彩絵具

独特のイラストは透明水彩絵具で描かれている。水を含ませた筆で紙面を濡らし、少しずつ色を変えて重ねていく。このノートは超軽量紙。

透明水彩絵具はアクリル絵具と異なり、チューブから出した状態でも使える。色相の近いレインボーカラー順にパレットに出して使う。

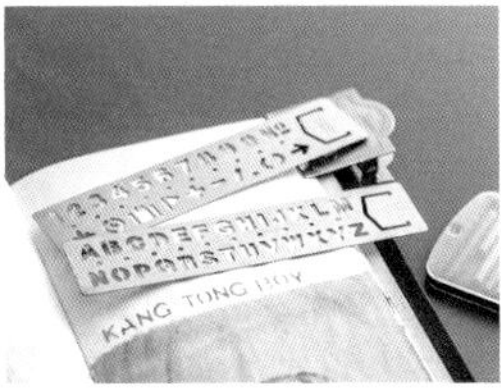

イラストと組み合わせるタイトル文字は、ブラステンプレートブックマークを使い統一している。ミニ色鉛筆で描き込む。

オイルパステルで
描くことも

オイルパステルも好きな画材のひとつ。1982年のテレビ番組出演時にYMOの3人がモノマネを披露した、貴重な1シーンを描いている。

11

FLIGHT / HISTORY

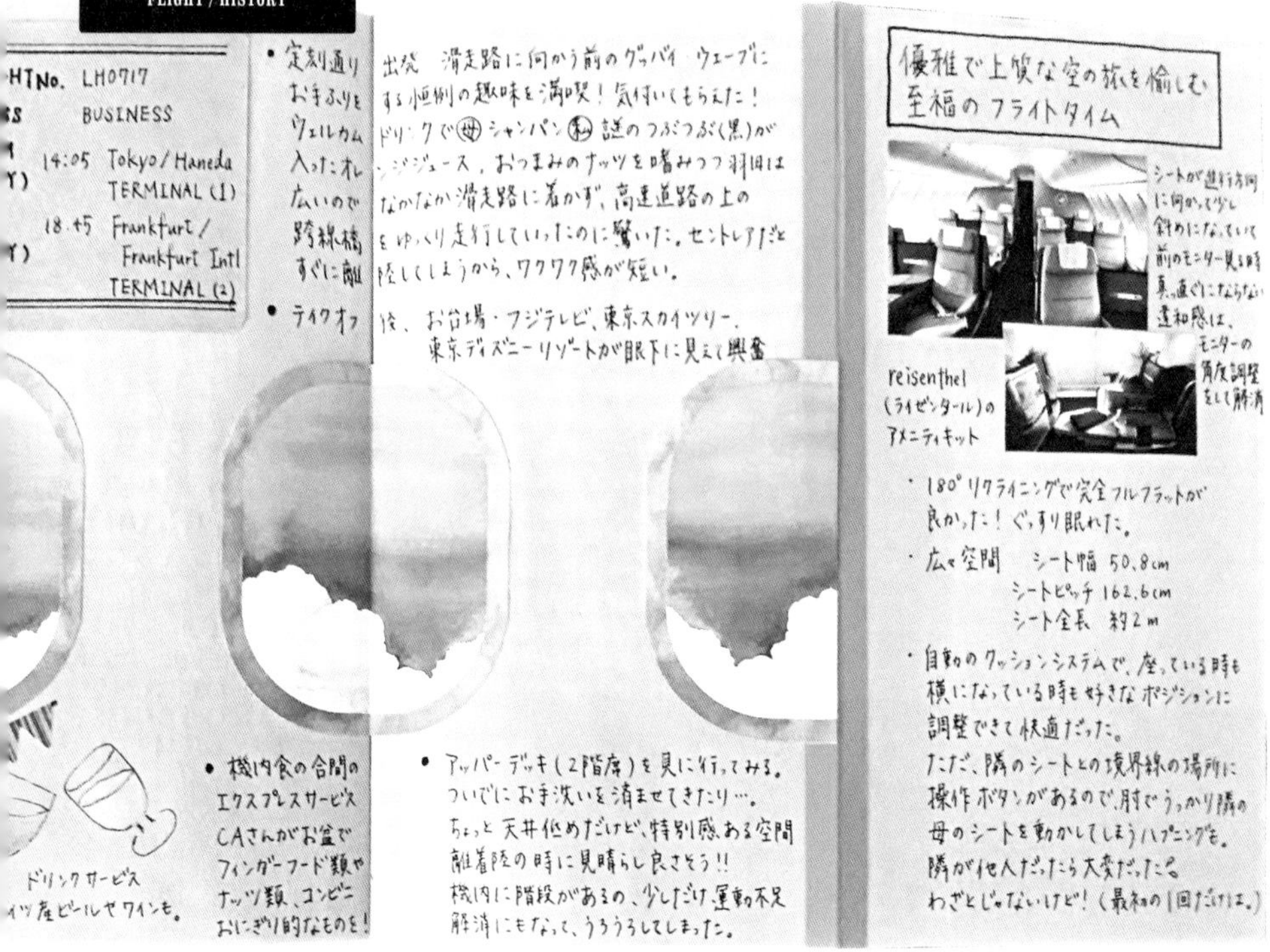
LH0717
BUSINESS
14:05 Tokyo/Haneda
TERMINAL (1)
18:45 Frankfurt /
Frankfurt Intl
TERMINAL (2)
• 定刻通り
お手ふりを
ウェルカム
入ったオレ
広いので
跨線橋
すぐに離
• テイクオフ
出発　滑走路に向かう前のグッバイ・ウェーブに
する恒例の趣味を満喫！気付いてもらえた！
ドリンクで㊥シャンパン㊮謎のつぶつぶ（黒）が
ンジジュース，おつまみのナッツを嚙みつつ羽田は
なかなか滑走路に着かず，高速道路の上の
をゆっくり走行していったのに驚いた。セントレアだと
陸してしまうから、ワクワク感が短い。
後、お台場・フジテレビ、東京スカイツリー、
東京ディズニーリゾートが眼下に見えて興奮
優雅で上質な空の旅を愉しむ
至福のフライトタイム
シートが進行方向
に向かって少し
斜めになっていて
前のモニター見る時
真っ直ぐにならない
違和感は、
モニターの
角度調整
をして解消
reisenthel
（ライゼンタール）の
アメニティキット
・180°リクライニングで完全フルフラットが
良かった！ぐっすり眠れた。
・広々空間　シート幅 50.8cm
シートピッチ 162.6cm
シート全長　約2m
・自動のクッションシステムで、座っている時も
横になっている時も好きなポジションに
調整できて快適だった。
ただ、隣のシートとの境界線の場所に
操作ボタンがあるので，肘でうっかり隣の
母のシートを動かしてしまうハプニングも。
隣が他人だったら大変だった。
わざとじゃないけど！（最初の1回だけは。）
ドリンクサービス
イツ産ビールやワインも。
• 機内食の合間の
エクスプレスサービス
CAさんがお盆で
フィンガーフード類や
ナッツ類、コンビニ
おにぎり的なものを！
• アッパーデッキ（2階席）を見に行ってみる。
ついでにお手洗いを済ませてきたり…。
ちょっと天井低めだけど、特別感ある空間
離着陸の時に見晴らし良さそう!!
機内に階段があるの、少しだけ運動不足
解消にもなって、うろうろしてしまった。

飛行機に乗った景色を再現したノート。窓枠の絵で機内とわかる。
アッパーデッキ（2階席）初体験のワクワク感が記録から伝わる。

ノートとトランクで創造の翼を広げる

あい@ゆる旅人さん／歴史・旅ノート研究家
Instagram：@ai.love_14

旅を愛するあいさん。旅の記録ノートとして使っているのはクラフト紙リフィルだ。クラフト紙にこだわる理由について、あいさんは「紙質がちょっと粗くて引っかかるので、古い羊皮紙を想像させてくれるところが魅力です」と語る。

「古い書籍を扱う気分で書いています。存分に自分の趣味の世界に浸らせてくれるノートは、単なる記録紙以上の存在です」

旅ノートの始まりは、憧れの地であるハンガリー、チェコ、オーストリアを訪れた2014年の旅行。記録方法を検討する中でトラベラーズノートに出会った。

「歴史の背景にあるものを調べて書くこと

ルフトハンザ航空について調べたこと

会社の歴史、搭乗機体ボーイング747-8、自分の座席の位置まで(!)詳細に記録。カラーリングの意味も社是を知るうえで興味深い。

ドイツの「つぐみ横丁」ぶらぶら歩きの記録

「足元のガタガタ石畳はつまずき要注意!」や「ライン川は川底が見えてしまうくらいの水位」など、気付きが満載。

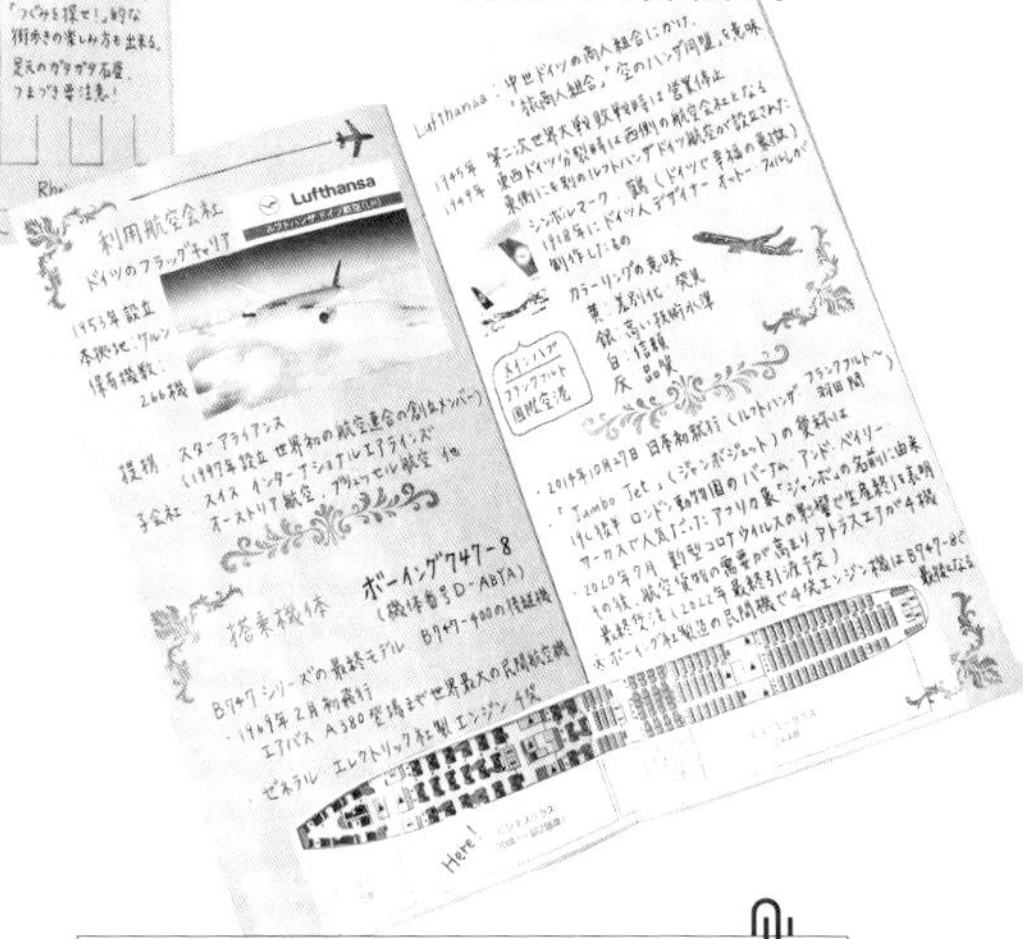

フランクフルト散策マップ

散策した場所が連番でわかる。欧州中央銀行のエンブレムやアルトシュタット地区の特徴など次回の旅にも役立ちそう。

Q&A

トラベラーズノートの愛用歴は?	**約7年**
無人島へノートと共に持っていくなら?	**自分の中のイマジネーションや思考**
トラベラーズノート作りの相棒は?	**パイロットの万年筆とブルー系インク**

がとても好きなので、トラベラーズノートの持つストーリーや哲学が、自分の興味の方向性と共鳴したのかなと思います。旅の記憶が蘇るトリガーのようなノート作りをしたくて書き留めています」

ノートを保管するトランクも創造のためのマストアイテムだ。

「開けるたびに、ノートを書く魔法の時間が始まるよって妄想スイッチが入ります。旅先の言葉にできない感動も形にできる。どんどん自分を出してもいい、失敗してもいいと思える圧倒的な安心感がトラベラーズノートにはあるんです」

ノートを保管するトランクは一時期好きで買い求めたというハリー・ポッターのグッズ。

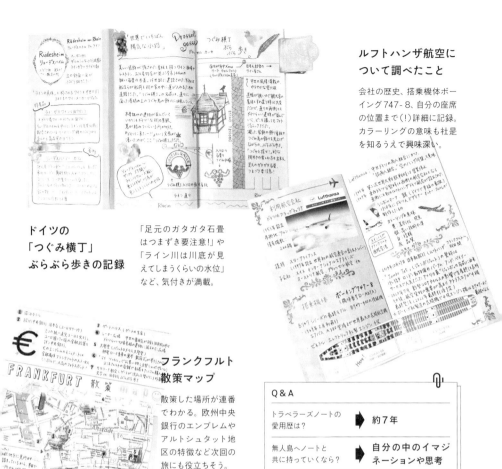

食べること大好き主婦が叶えたイラストレーターの夢

Tamyさん／イラストレーター
Instagram：@tamytamy2015

12
FOODIE LIFE

ウェブメディアなどで複数の連載を持ち、イラストレーターとして活躍しているTamyさん。イラストレーターになることは昔からの夢だったものの、結婚後は子育てと義両親の介護を同時に担うことに。自由な時間が欲しいときにトラベラーズノートと出会い、インスタグラムにイラストを投稿し始めたところ、食べ物の絵にいいねが100件ほど付いた。

「食べることは大好きなものですから。家事も子どもの寝かしつけも全部終わらせてから描きました。ノートに絵を描くことが、私のご褒美の時間だったんです」

やがてメディアから声がかかり、食べ物に関するコラムのイラストを2016年2月から続けている。

「家族のために生きようと頑張ってきたので、まさかこうなるとは思っていなくて。40代にして夢は叶うんだなって驚いています。トラベラーズノートのおかげです」

おいしいパンの記録

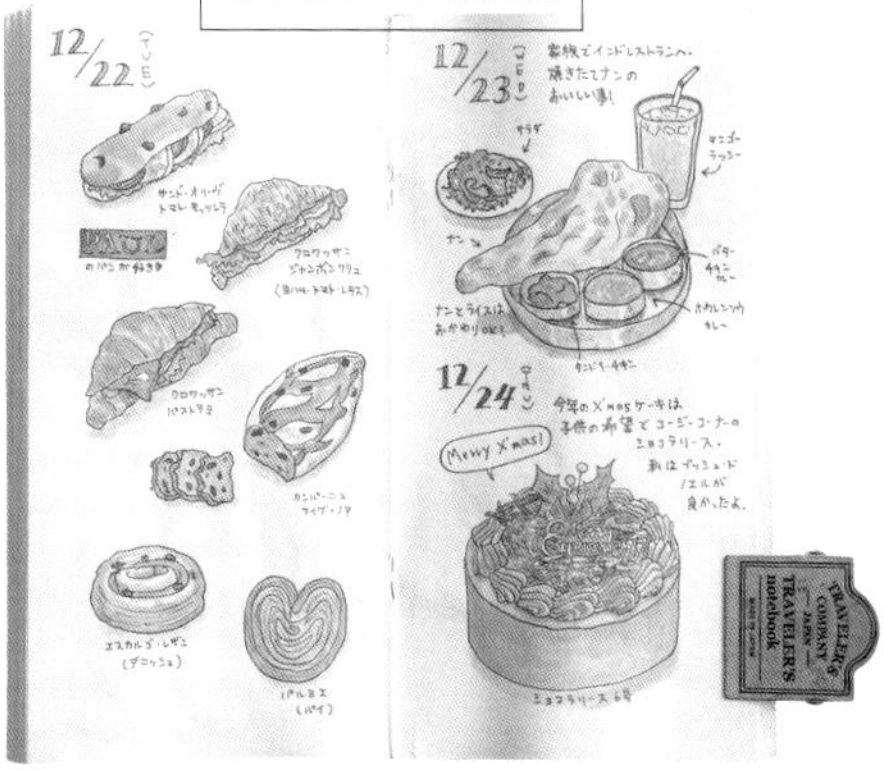

ランチ&お茶の記録

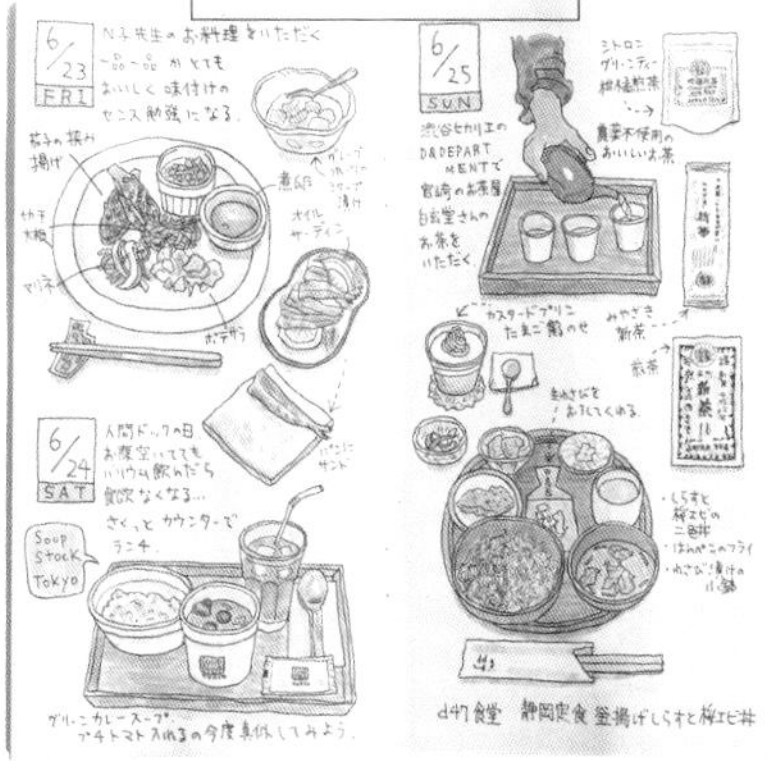

子どものイタズラもいい記念に

お腹が鳴りそうなイラストの数々。食べ物をおいしく見せるために“焼き色”には特に気を使っているそう。

Q&A

トラベラーズノートの愛用歴は?	**約6年**
無人島へノートと共に持っていくなら?	**ハサミ(服など作るのに役立つ!?)**
トラベラーズノート作りの相棒は?	**サクラクレパスのピグマとファーバーカステルの色鉛筆**

作品はリフィル用バインダーに保管。厚みがあり、裏移りもしづらい水彩紙リフィルを使っている。

気持ちを ボールペン画に託して

さく路さん／にわか限界アーチスト
Instagram：@skrartagram

13

ART DIARY

さく路さんにとって、ノートに気持ちを描くことは人生の旅だ。ゲルインクボールペンのユニボール シグノで、その日の印象に残ったものをクラフト紙リフィルに描いていく。読んだ漫画、訪れた場所、草花……選ぶ内容はさまざまだ。

絵を描く習慣は幼い頃からあったものの、子育て期間中に一時中断。インスタグラムでたくさんの絵を目にしたことと、子育てが一段落したことをきっかけに、2016年からノートに絵日記を描くようになった。

大切にしているのは、自分の感じたままを素直に表現すること。

「印象深いことがない日は、描きたいと思ったものを描きます。気分の記録なのでそれもありだと思うんです」

SNSで発信していた絵日記は評判となり、2019年にはカフェで「絵日記喫茶」と題した個展を開催。訪れた人が触れることによって付いたダメージも、ノートの味となり、今では大事な記録となっている。

ユニボール シグノ極細0.38㎜を愛用。ブルーブラックやブラウンブラックなど4色を使う。ホワイト部分はユニカラーの白色鉛筆で塗り足す。

Q＆A

トラベラーズノートの愛用歴は？	約5年
無人島へノートと共に持っていくなら？	ミュージックプレイヤー
トラベラーズノート作りの相棒は？	三菱鉛筆のユニボールシグノ

個展で使用したカバー。ノートを展示するにあたり、リフィルだけではなくカバーが付いた状態で楽しんでほしいとの思いから用意した。

描く絵のテーマは日常の発見

観た映画、おいしかったものなど、内容は多岐にわたる。フレームを入れる現在のスタイルは3年ほどかけて固まってきた。

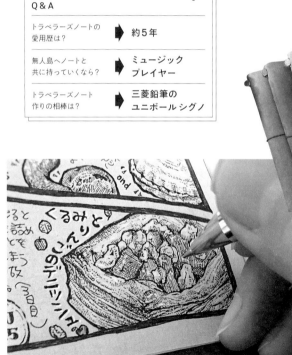

トラベラーズノートはノンストップ育児の癒やし

Ak-iさん／手帳大好きワーママ

Instagram：@aki10notebook

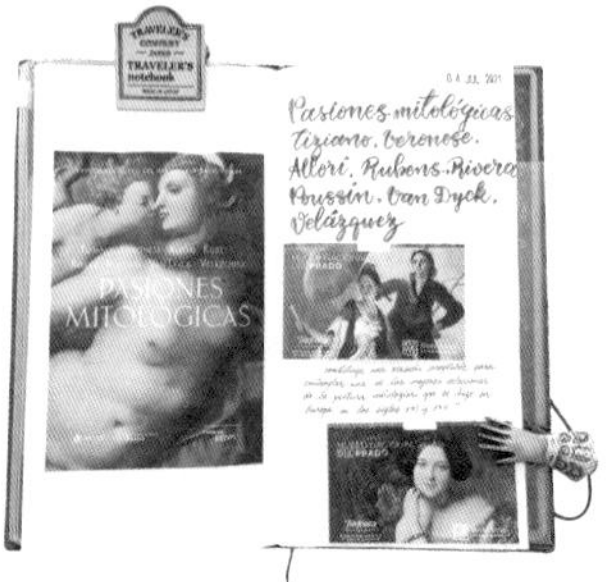

プラド美術館「神話の情熱」展

夫婦ともに美術鑑賞、特に絵画が大好き。美術館や展覧会を訪れたときにその記録を残すのが楽しみとなっている。

ロンドン旅行の記録

旅行が大好き。ときどき旅を思い出したがるスペイン人の夫にもわかるように、スペイン語で書いている。

14

CHILDCARE DIARY/TRAVEL

「長男出産後は、初めての子育てで手一杯でした。でも、その日あったことや、なんで泣き止んでくれないんだろうとか、ノートに書くだけで癒やされたんです」

スペインで子育て中のAkiさんはノートに綴った育児日記をそう振り返る。インスタグラムで知ったトラベラーズノートは、中身をカスタマイズできる点が魅力だった。旅行記や美術鑑賞ノートなどさまざまなノートの中でも、育児日記はふとしたときに開くとほっとする癒やしの存在だ。取材時は次男を妊娠中。生まれたらまた育児日記を付けたいと、新しく1日1ページの日記リフィルを用意した。

「1冊で2か月分のフリーダイアリーが、区切りやすく使いやすいです。新生児から1歳くらいまでは特に毎日表情が変わるから、写真をたくさん撮ると思います。写真を貼ってもページがよれたり、書きにくくなったりせず、紙質も気に入っています」

長男の日記を読み返しながら、その日々が来るのを家族皆で楽しみに待っている。

家族の成長の記録

息子が哺乳瓶を持ってミルクを飲めるようになり、義弟の抱っこ姿も板につくなど、どれも貴重な成長の記録だ。

育児日記

週間フリー＋メモのリフィルに写真と文章で綴る育児日記。写真は8枚が定番だ。子どもが歩き始め、カメラ目線が貴重になってきた。

Q & A

トラベラーズノートの愛用歴は？	➡	約4年
無人島へノートと共に持っていくなら？	➡	お気に入りのティーカップ
トラベラーズノート作りの相棒は？	➡	万年筆とキヤノンのセルフィー（写真プリンター）

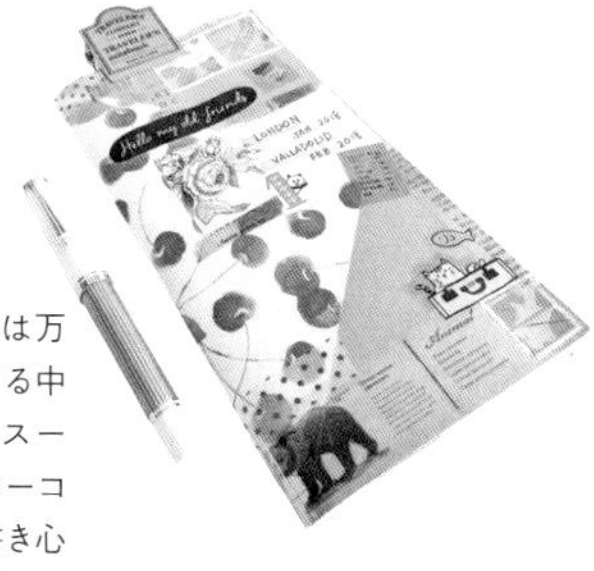

ノート制作の相棒は万年筆。複数所有する中でも、ペリカンのスーベレーン M600 ターコイズホワイトは、書き心地がよくお気に入り。

好きなものが詰まったノートが出会いをつないでくれた

15

SHOPPING

まいこはんさん／会社員

Twitter：@maicohaann

「普段は外でノートを書きませんし、持ち歩くこともありません。ただ旅行だけは特別。〝トラベル〟させてあげたくて、ノートを一緒に持っていきます」

まいこはんさんがトラベラーズノートを使い始めたのは２０１６年のこと。旅ノート中心に書き始めたが、いつしか普段の買い物記録にも広がった。

「商品のことをもっと知りたくて、ノートに書き出します。欲しかった商品を買えるととても嬉しいし、仕事や生活へのモチベーションになります」

記録することの根底には、大好きなものを手に入れた喜びがある。そして商品を扱う人、作り出した人への感謝も。

こうして日頃の興味をＳＮＳで発信しているうちにノート好きな仲間たちとつながり、オフ会を開催するまでになった。

「トラベラーズノートが、日常生活の中では出会えない人たちと自分をつないでくれました。ノートの存在は、出会いをありがたく思う気持ちの象徴です」

購入したコスメの記録

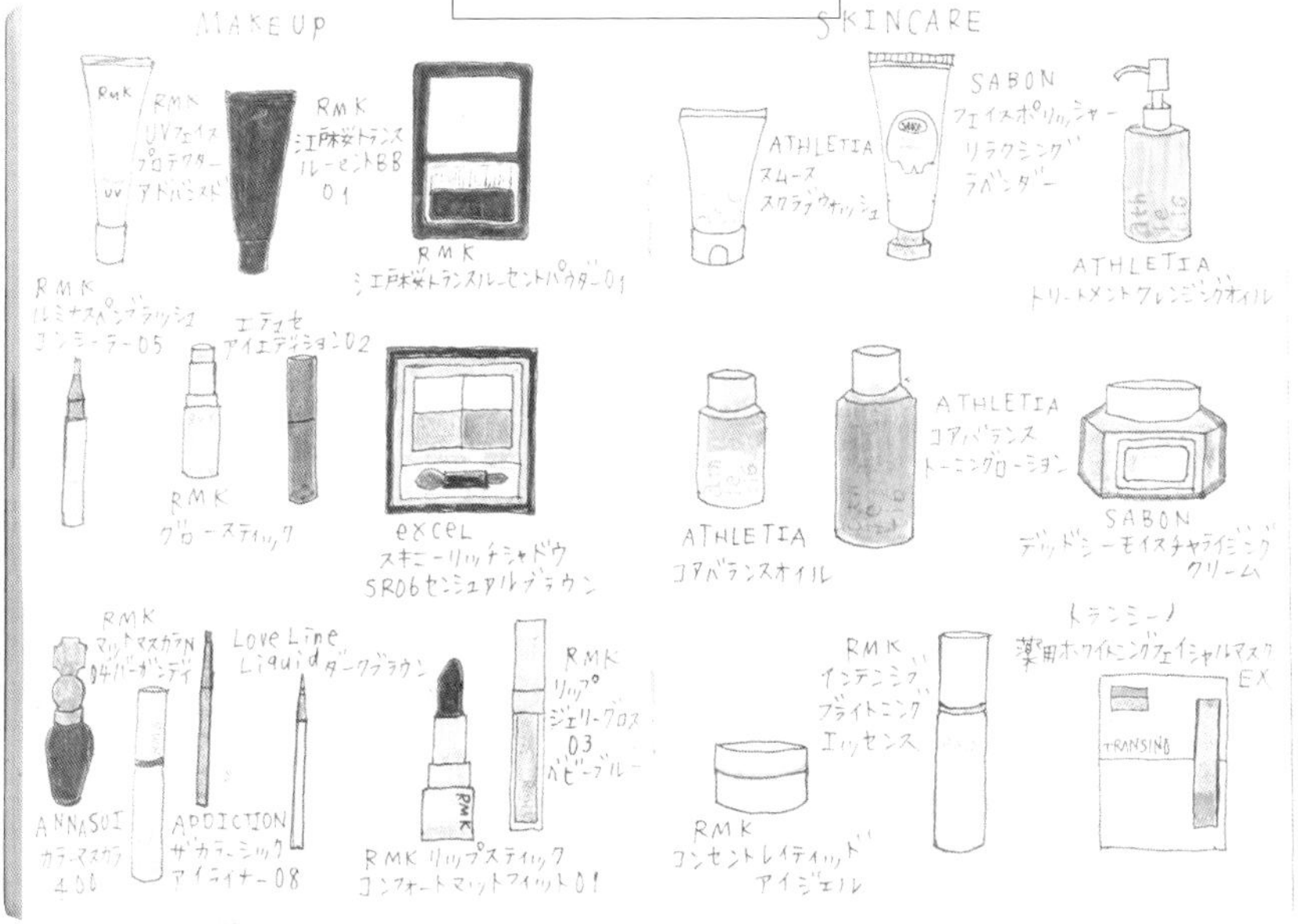

もともと先のことを考えるのが大好き。欲しいものがあれば、一旦リストに書いて寝かせる。次に買うものを想像することも楽しみのひとつだ。ちょっと頑張ったタイミングで買う。

テンションが上がった洋服の購入記録

パッケージやステッカーはスクラップに

ノートを書くときに使うシャイニーのプリンティングDIYキットはトラベラーズファクトリーで購入したもの。

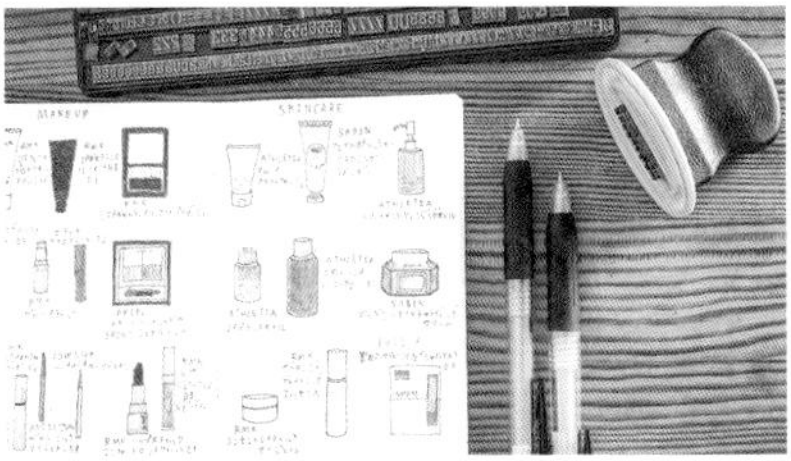

Q & A

トラベラーズノートの愛用歴は？ → **約6年**

無人島へノートと共に持っていくなら？ → **人とのつながり**

トラベラーズノート作りの相棒は？ → **ゼブラのサラサとスタンプキット**

Column

ノートが文化を作る

ノートと自転車

最初にトーキョーバイクの自転車を見たときにトラベラーズノートみたいだと思った。余計なものがないシンプルなデザインだから、カスタマイズも楽しい。スピードよりも乗ったときの心地よさを大切にし、日々の暮らしに寄り添った自転車。

好きなものに出会うとトラベラーズノートを持って会いに行くのが信条だった。そして、お互いのものづくりの考えに共感することが多いことに気付いて、自然に一緒に何かをやりましょうということになった。僕らはトーキョーバイクのためのノートを作り、彼らはトラベラーズのための自転車、トラベラーズバイクを作ってくれた。ノートと自転車が毎日をもっと楽しくしてくれて、新しい旅へいざなってくれたらいいなと思った。

個人的にもトラベラーズバイクを手に入れた僕は、ただいま自転車での日本一周に挑戦中だ。東京を出発し、夏休みのたびに少しずつ北へ向かい、5年目でやっと青森に到達した。のんびりスローな旅ではあるけれど、その分お楽しみはまだまだ続く。

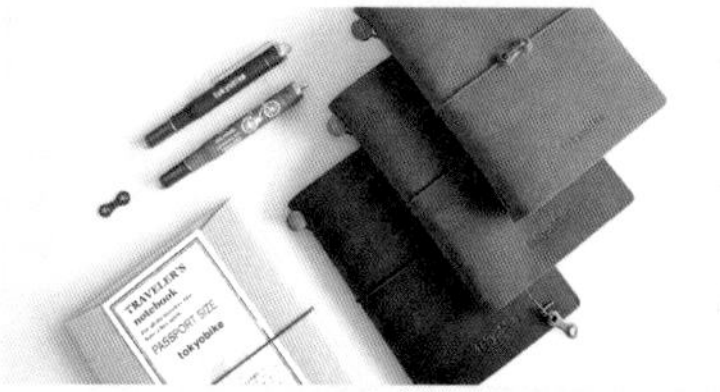

トラベラーズノートとトーキョーバイクのコラボエディション。

トーキョーバイクが作ってくれた自転車、「トラベラーズバイク」。

このミニコラムでは、トラベラーズノートのプロデューサー・飯島淳彦が、ノートの枠を超えてさまざまなカルチャーや人とつながり発展してきたトラベラーズノートならではのこぼれ話をお届けします。

3.

Factory & Artisan

トラベラーズノートが生まれる場所

今あなたの目の前に1冊のトラベラーズノートがあるとして、
その1冊が生まれ、手元に届くまでの間には、多くの人の存在がある。
タイでカバーを作る人、日本でリフィルを作る人、大切に届ける人、
多くの人の「手」から、このノートは生まれている。

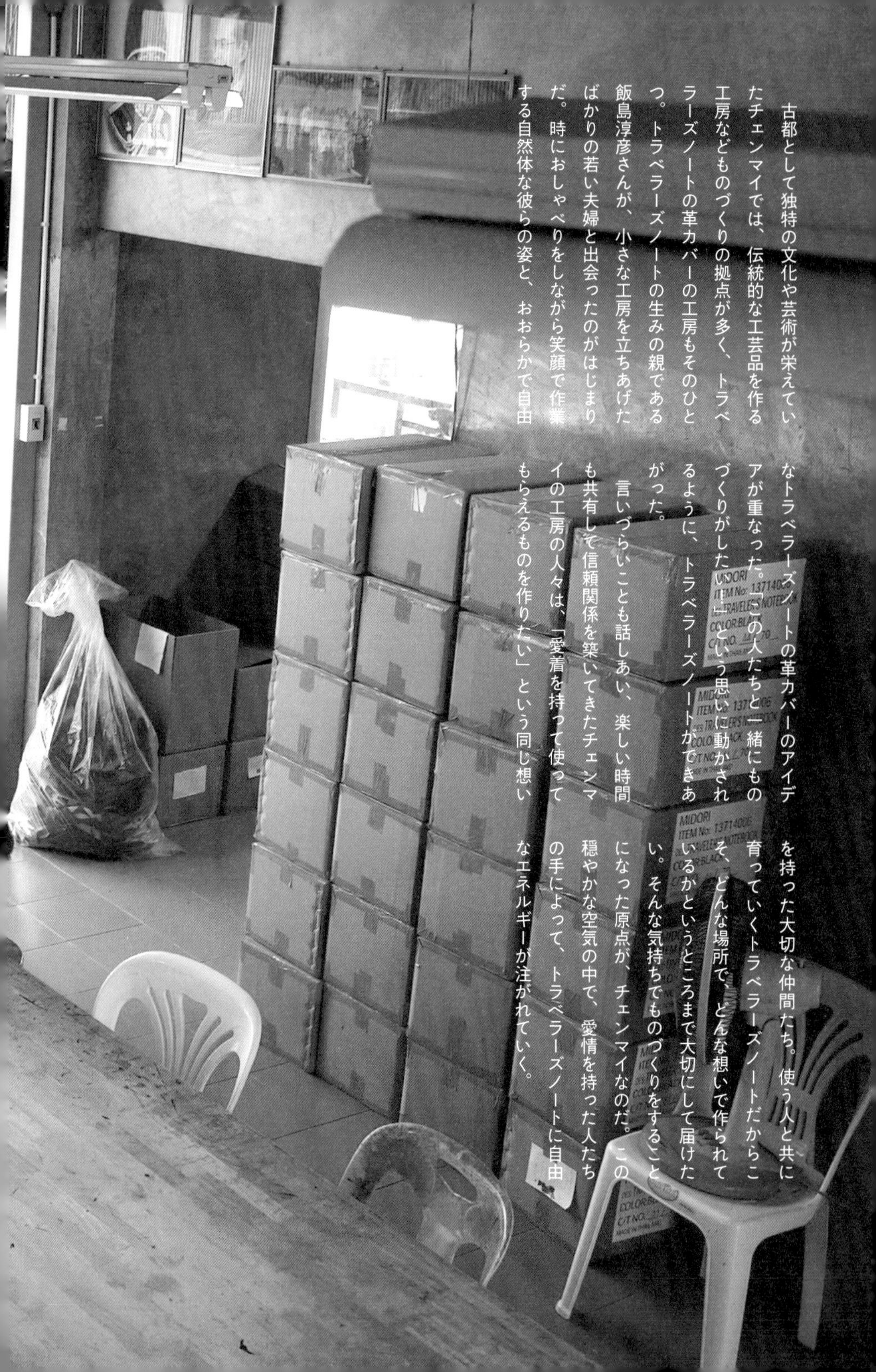

古都として独特の文化や芸術が栄えていたチェンマイでは、伝統的な工芸品を作る工房などものづくりの拠点が多く、トラベラーズノートの革カバーの工房もそのひとつ。トラベラーズノートの生みの親である飯島淳彦さんが、小さな工房を立ちあげたばかりの若い夫婦と出会ったのがはじまりだ。時におしゃべりをしながら笑顔で作業する自然体な彼らの姿と、おおらかで自由なトラベラーズノートの革カバーのアイデアが重なった。「この人たちと一緒にものづくりがしたい」という思いに動かされるように、トラベラーズノートができあがった。

言いづらいことも話しあい、楽しい時間も共有して信頼関係を築いてきたチェンマイの工房の人々は、「愛着を持って使ってもらえるものを作りたい」という同じ想いを持った大切な仲間たち。使う人と共に育っていくトラベラーズノートだからこそ、どんな場所で、どんな想いで作られているかというところまで大切にして届けたい。そんな気持ちでものづくりをすることになった原点が、チェンマイなのだ。この穏やかな空気の中で、愛情を持った人たちの手によって、トラベラーズノートに自由なエネルギーが注がれていく。

THAILAND

Chiang Mai

タイ・チェンマイ

チェンマイの工房

バンコクから北におよそ720㎞に位置する古都チェンマイの郊外。田園風景が広がり、人々の暮らしがすぐそこにある。優しく、穏やかな空気が流れるこの場所で、トラベラーズノートの革カバーは作られている。

カメラを向ければいつだって笑顔を返してくれるチェンマイの工房の仲間たち。親戚や近所の知り合いが手伝いに来てくれることもあるそう。

自然も人々も、優しくて柔らかい。スタッフが惚れ込んだ、緑豊かな田園が広がるこの風景がトラベラーズノートの故郷だ。

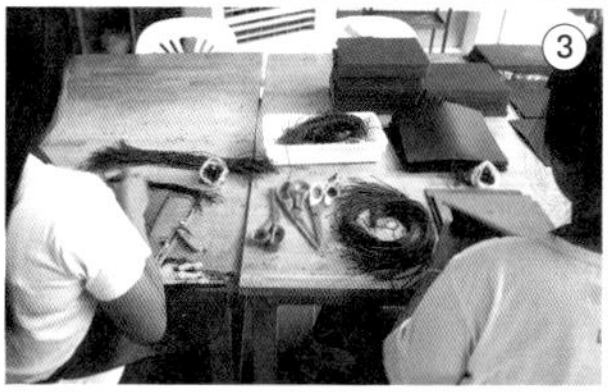

1｜植物性タンニンでなめした牛革を専用の枠に合わせてカットする。**2**｜錫でできたパーツは、近くにある別の工房で作られる。**3**｜カバーにゴムを通して錫製のパーツで留める。**4**｜カバーの表紙にトラベラーズノートの刻印を押す。**5**｜できあがったカバーは大きな机の上に並べ、一つひとつ、工房で作った布ケースに入れて、パッケージで包んでいく。

トラベラーズノートのカバーは、革本来の風合いを生かしてナチュラルに仕上げる。デリケートな天然素材だからこそ、手作業で丹念に整えていく。

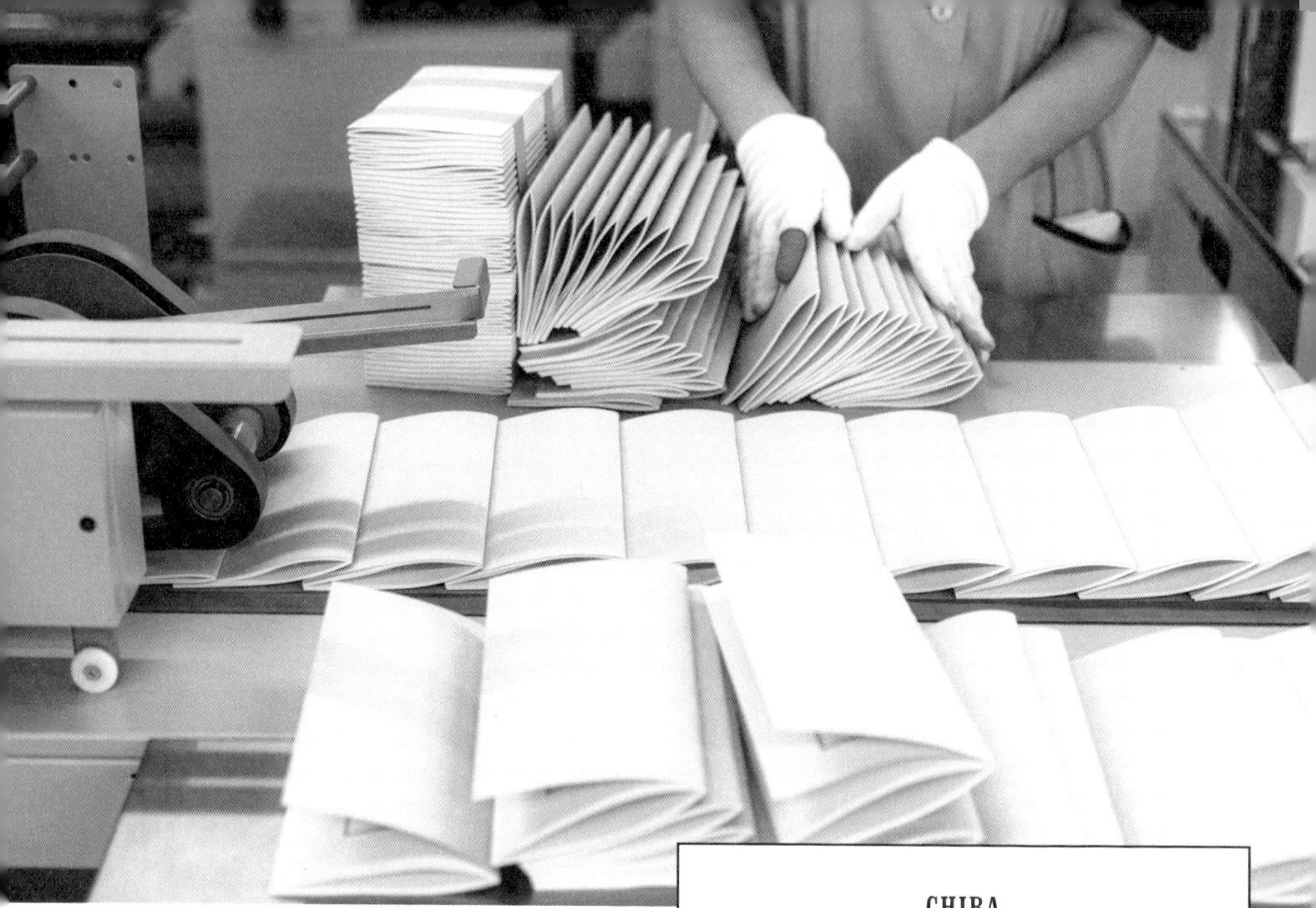

CHIBA

Nagareyama

千葉・流山

デザインフィル 流山工場

1964年に建設された流山工場は、トラベラーズノートのリフィルの印刷、加工・製本から、検品、出荷までを担う重要拠点。愛情と情熱の込もったものづくりでトラベラーズノートを支えている。

上|ステッチャー綴じ製本されたリフィルが、次々と製本機からできあがってくる。トラベラーズノートの多くのリフィルが流山工場で作られる。下|箔押しされたばかりの「トラベラーズファクトリー 京都」限定リフィルの表紙を入念にチェック。左|1冊1冊、革を丁寧にチェックする。

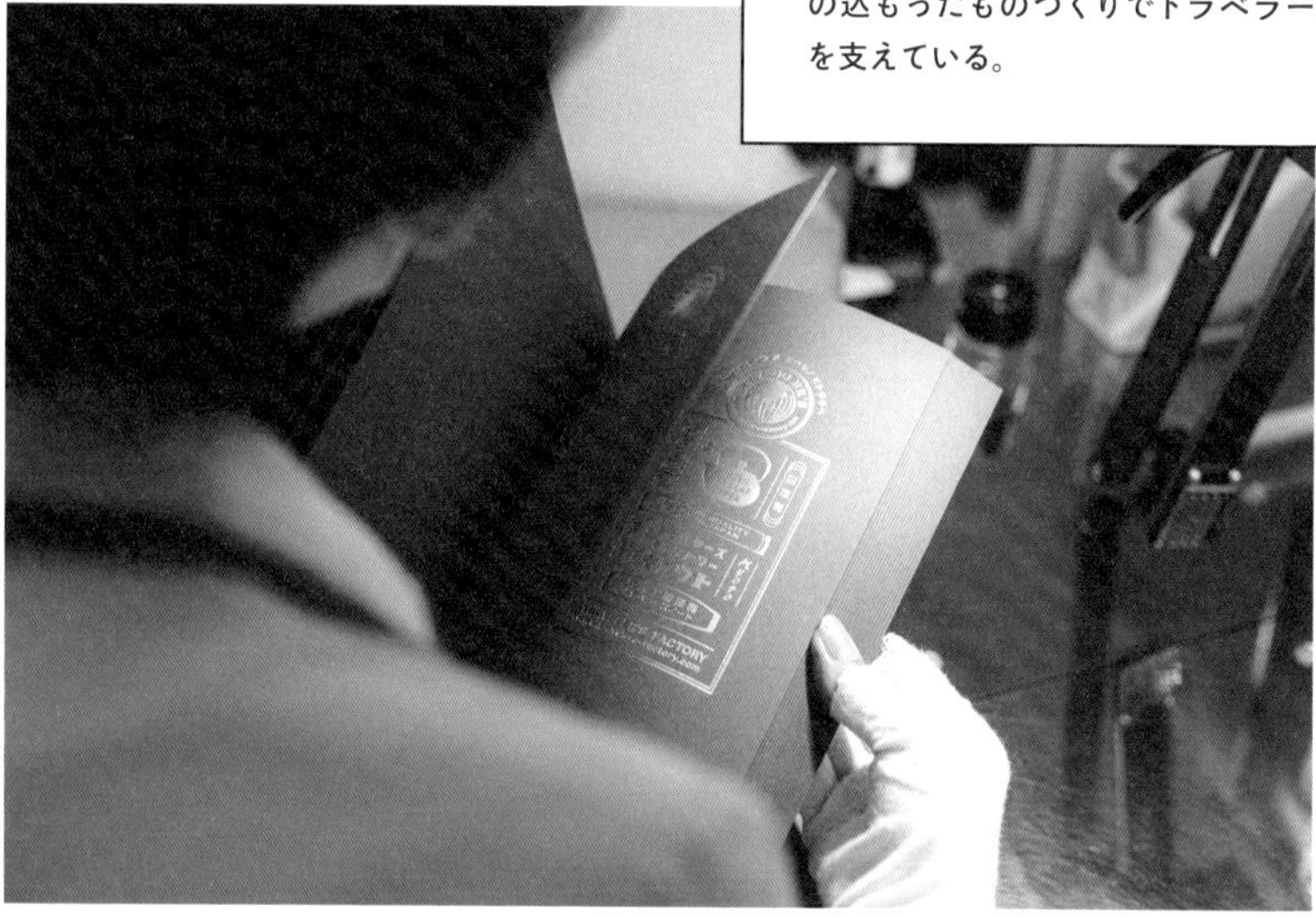

左｜リフィルの罫線や文字に使われるグレーのインクは、きちんとガイドになりながらも筆記を邪魔しない、計算された色味が特徴の特色インキ。**下**｜印刷機で刷りあがった用紙は、経験を重ねたスタッフがその場ですぐに、インクの発色や罫線のズレがないかなどをじっくりチェックする。

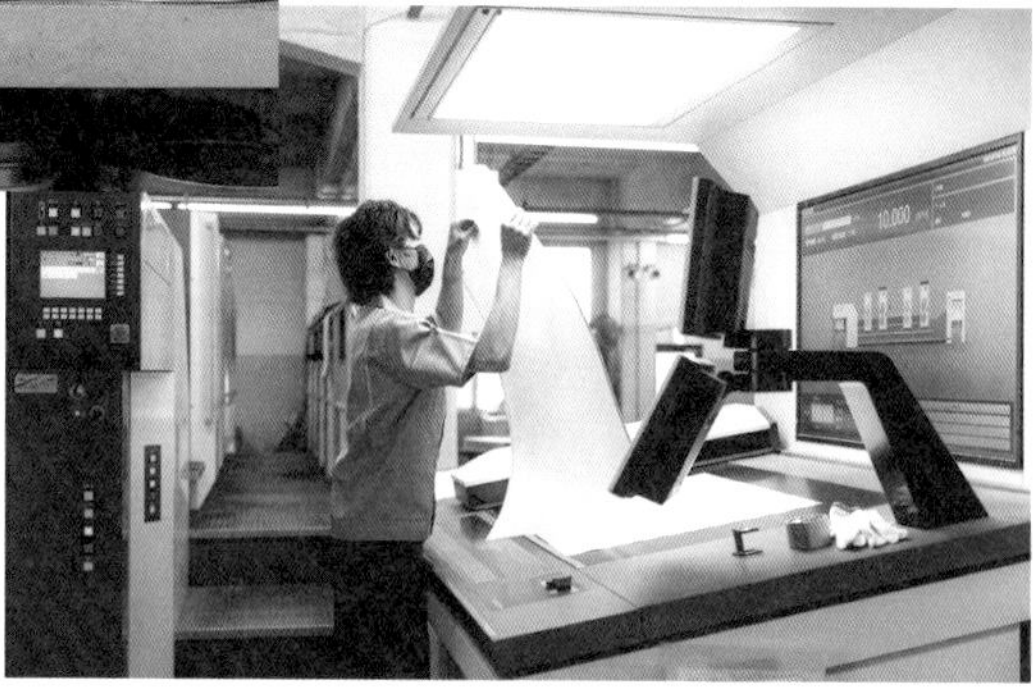

印刷

トラベラーズノートのリフィルのほとんどがオフセット印刷。自社オリジナルの「MD用紙」を、1分間に1万枚印刷することができる全長13mの大きなUV印刷機にかけ、一気に印刷する。一方、トラベラーズファクトリーのショップカードや一部のリフィルは、昔ながらの活版印刷機を使って印刷される。

トラベラーズノートができるまで

チェンマイの工房		流山工場
・革加工		・リフィルの印刷
・カバー組み立て	➡	・加工・製本
・金属パーツ、布ケースなどの製造		・検品・アッセンブリ
		・物流

上｜ドイツのハイデルベルグ社の活版印刷機を扱う熟練の小松さん。インクの盛り方、印刷位置など細かい微調整を繰り返しながら印刷する。**右上**｜トラベラーズファクトリーのショップカードの版。**右下**｜メッセージカードのリフィルは活版印刷で刷られたもの。1色刷った紙の上に、ずれないよう順番に色を重ねていく職人技だ。

加工・製本

印刷した紙を断裁機でカットし、表紙に箔押しをしたり、ジャバラにしたり、折り機でポケットを作ったり、リフィルの形へと加工・製本をしていく重要な工程。流山工場が誇る技術のオンパレード。工場の機械と技術を使ってどんなことができるか、試作段階から企画チームと工場スタッフが一丸となってものづくりをしていく。

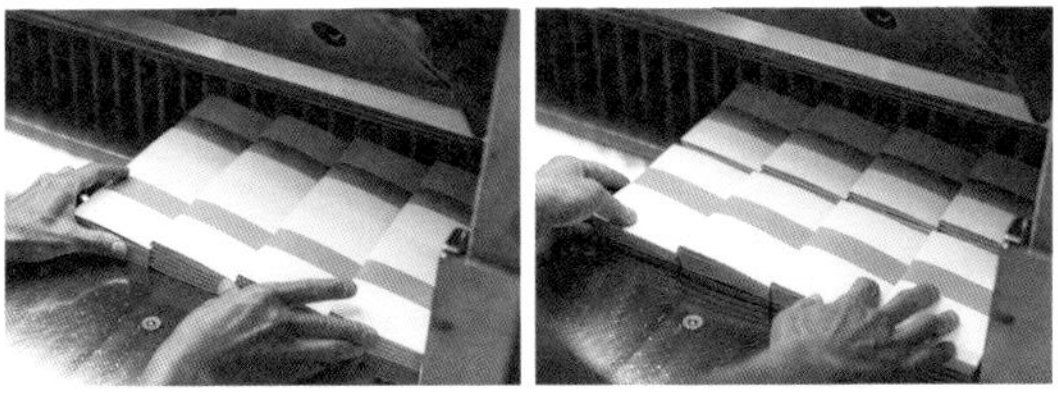

上|製本機からできあがってくるのは、2冊つながった状態のパスポートサイズの横罫ノートリフィル。**下**|断裁機にぴったりとセットして一気に半分にカットすれば、パスポートサイズのリフィルが完成。

製本機の前で、できあがったばかりのリフィルに落丁や乱丁がないかをチェックする。製本や箔押し技術に精通し、企画チームからの信頼も厚いベテランの渡辺さん（左）。

印刷された大判の紙を、ノートの大きさに合わせ無駄が出ないように断裁機でカット。

トラベラーズノートのものづくりは流山工場と共にある。工場の機械を使ってどのようなことができるか、こういうことを実現するにはどうしたらよいか、トラベラーズノートの企画チームと現場スタッフが幾度も顔を合わせて話し合い、試作を重ね、試行錯誤しながら、一緒に進めていく。

「面倒なことを相談しても、工場の人が面白がって一緒に考えてくれるんです」と企画チームの石井健さんは話す。「この技術が活かせそう」「あと1㎜ここを短くしたらどうか」など、現場の〝職人たち〟が長年の経験と技術をもとにさまざまなアイデアを返してくれる。例えば、「トラベラーズファクトリーステーション」の限定プロダクトで、革カバーへの箔押しが実現したのも、工場の熟練技があったから。

「紙と違って革は1枚1枚厚さが微妙に異なるので、箔押しがすごく難しいんです。空押しだったらムラなく仕上がるけれど、箔での表現にチャレンジしたいとの想いを、どうにか実現しようと頑張りました。

創業当時の姿を残す食堂。定番イベントとなった「スパイラルリングノートバイキング」の第1回を行った思い出の場所でもある。

左|何トンもの力を加えて箔を押す箔押し機を使って、1枚1枚手作業で「トラベラーズファクトリー京都」限定リフィルの表紙が加工されていく。**右上**|細かいデザイン通りに箔が押せているか入念に目視で確認する。**右下**|紙よりもさらに難度が高い革カバーへの箔押しが実現できたのも、流山工場の熟練職人の技術によるもの。

思い入れが強い商品ですよ」と、加工・製本チームリーダーの渡辺さんは振り返る。

一筋縄で行かないからこそ、できあがったときの喜びややりがいもひとしお。トラベラーズファクトリーの「スパイラルリングノートバイキング」も工場と一緒に作りあげたイベントだ。

工場のスタッフは、みな自分たちの仕事に誇りを持っている。和やかで素朴な現場の雰囲気の中も、丁寧な手仕事と厳しいプロフェッショナルの眼が常にある。

「世界中のトラベラーズノートをここでチェックしているのよ」

検品・アッセンブリを担当するベテランスタッフは、笑顔でそう語った。

「工場の人と一緒に作りあげたものが、工場の外で多くの人に喜んでもらえるのは嬉しいし、工場の人にも喜んでもらえる。そうやってまた、一緒に新しいものづくりをしていくよいサイクルが続いていきます」と石井さんは話す。愛情とものづくりの楽しさこそが、トラベラーズノートの原点だ。

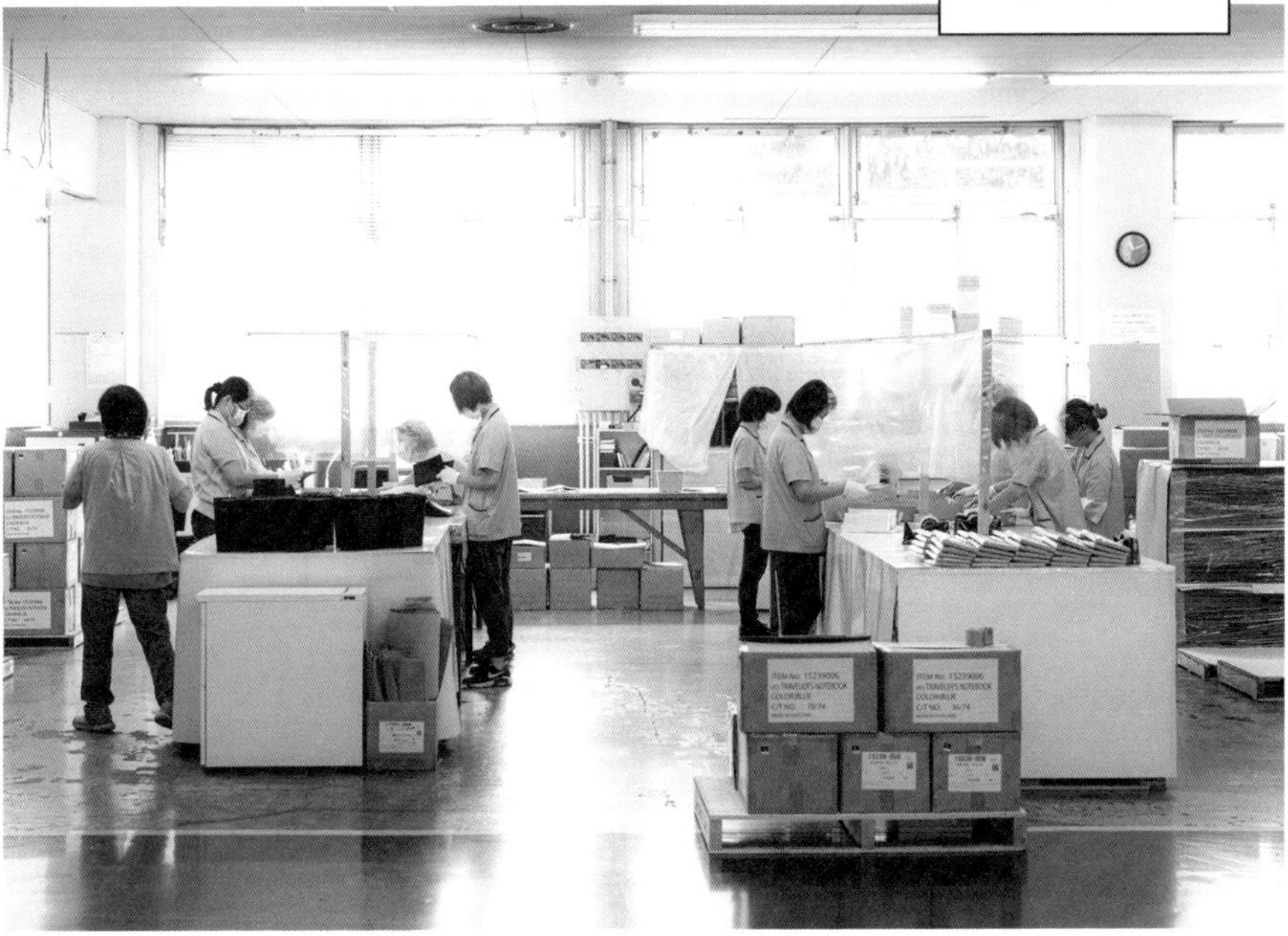

スタッフが革カバーの表面を手で馴染ませながら、丁寧に1枚ずつチェックしていく。検品が終わったカバーにリフィルを差し込み、専用の布ケースに入れて、付属品と共にパッケージに梱包する。このすべてが手作業なのだ。

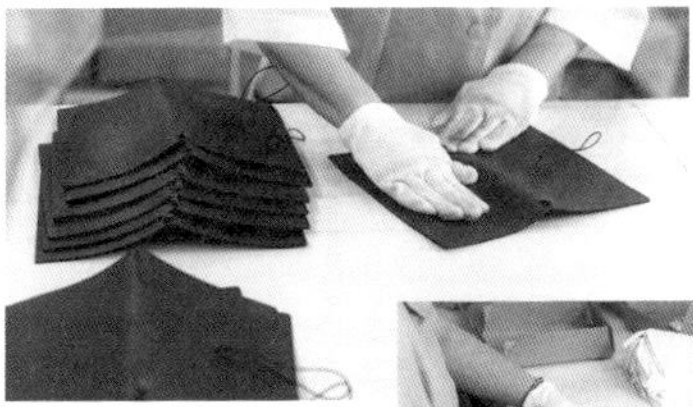

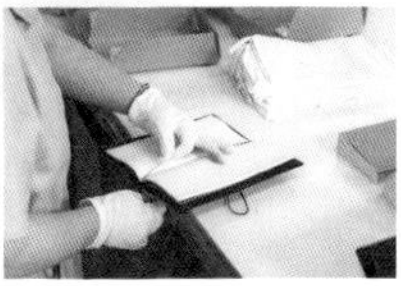

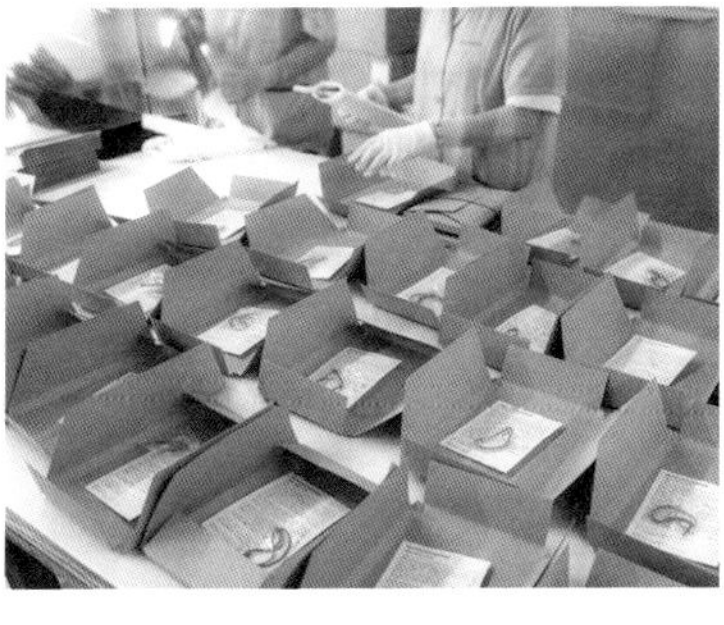

検品・アッセンブリ

タイ・チェンマイの工房で作られた革カバーと、流山工場で作られたリフィルを組み合わせていく、トラベラーズノートの仕上げとも言える工程。一定の品質を保つため、10年以上のベテランスタッフによって、入念に革の状態をチェック。検品した革カバーにリフィルやパーツをセットして、出荷できる状態へと組み立てていく。

トラベラーズノートをずっと応援してくれている柿沼元工場長（左）、内片工場長（右）に挟まれ嬉しそうな企画チームの石井さん（中央）。工場のスタッフと企画チーム、会えばいつも“ものづくり談義”が止まらない。

TOKYO

Nakameguro

東京・中目黒

TRAVELER'S FACTORY NAKAMEGURO

路地裏にひっそりと佇む古くて小さな建物。一歩足を踏み入れれば所狭しとノートやオリジナルアイテムが集められた1階と、カフェスペースのある2階。ここは、トラベラーズノートの世界を発信する唯一無二の「基地」である。

２０１１年、「トラベラーズノートの世界をもっと深く追求するための基地」として誕生した「トラベラーズファクトリー」。店舗という枠を超え、トラベラーズノートを好きな人たちが出会い、語らい、新たな旅を始めるきっかけを創造する場所として、今では世界中からファンが訪れる。この場所が生まれたきっかけを、プロデュー

※ショップ情報はP.136に掲載。

右｜ずらりとリフィルが勢揃いするほか、ファクトリー限定のアイテムも並ぶ。
下｜その場でノートをカスタマイズできるスタンプコーナーと、投函可能なポスト。日常を旅するように楽しむためのアイデアのひとつだ。

什器として活躍するのは、流山工場で長年使われてきた万力付きの作業台。脚についたペンキ跡をそのまま活かすのも、カスタマイズして楽しむトラベラーズノートならでは。遊び心やDIY精神が店内の随所に宿っている。

サーの飯島淳彦さんはこう振り返る。

「ノートを作ってから、価値観を共有できる人たちとの出会いが増えて新しいプロジェクトが始まったり、いろいろなことが広がっていくことにすごく可能性を感じました。そういうことを表現する場所が欲しいと思うようになったのが大きかったですね。人が集まって、その場所で自分たちも心からいいなと思う物を作っていく。思い浮かんだのが〝基地〟のイメージでした」

トラベラーズノートが変わらずに大切にしていることのひとつに「自分たちがワクワクするかどうか」という軸がある。作る人が心から楽しんでいるからこそ、訪れた人にその熱量は伝わっていく。トラベラーズファクトリーをきっかけにさまざまなコラボレーションが生まれ、店舗でのライブイベントも実現した。

10周年を迎えた〝基地〟は、これからも、どんな時代にも変わらない、自由に想像を広げ毎日を創造することの面白さを、ノートと共に発信していく。

CUSTOMIZE
YOUR
NOTEBO

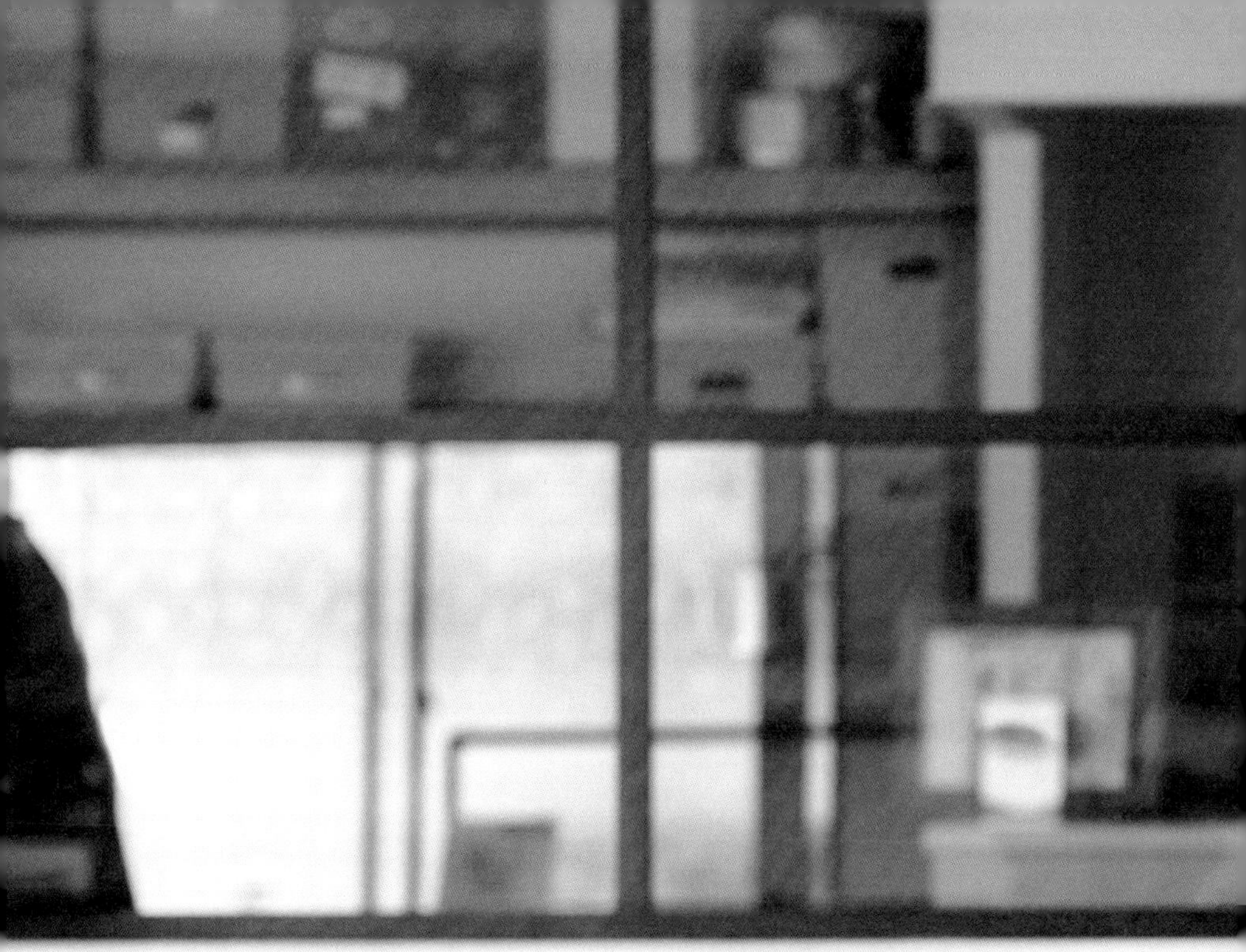

トラベラーズノートの世界を作るということ

2005年。トラベラーズノートのプロデューサー、飯島淳彦さんが、
社内コンペに提案したことがきっかけで、トラベラーズノートは始まった。
そして、仲間と共にその世界を深めていくことで、
トラベラーズノートは、国境も年齢や性別も超え、多くの人に愛される製品となった。
旅とロックミュージックと本と、そして手で書くことをこよなく愛し、
現在はトラベラーズカンパニーのブランドマネージャーを務める飯島さんに、
トラベラーズノートの誕生からこれまでのことを綴ってもらった。

“すべての人に好きになってはもらえなくても、そんなノートを好きだと言ってくれる人が世界中にいた”

文・飯島淳彦

2005年7月の国際文具・紙製品展ISOTのミドリブース内で行われたコンペに展示された、トラベラーズノートのプロトタイプ（サンプル）。この時点では「トラベルジャーナルノート」という名前だった。ラフなスケッチをもとにできあがったこのサンプルから、トラベラーズノートの物語がはじまった。

正直に言えば、トラベラーズノートが生まれたきっかけは偶然みたいなものだった。社内でノートのコンペ企画があると聞き、出張でチェンマイに行ったときに出会って以来ずっと気になっていた工房に、サンプルを頼んでみたのが始まりだった。うまくいったらまた仕事でチェンマイへ行けるかもしれない、なんていう不純な動機もあった。旅が好きで学生時代にバックパッカーとしてタイを訪れたことがあった僕は、チェンマイのゆるくて穏やかな空気にすっかり魅せられていた。

コピー用紙に鉛筆で描いたラフなスケッチをもとにできあがった革カバーのサンプルが届き、ノートをセットしてみると、何かが始まりそうな予感がしてワクワクしたことを今でもはっきり覚えている。チェンマイの素朴でプリミティブな革カバーと日本の繊細な紙で丁寧に作ったノートが、まるで美しいハーモニーを奏でるように調和し、僕らの心を大きく揺さぶった。このノートを持ってすぐにでも旅に出たくなった。

手前はプライベート用のトラベラーズノート。旅に持っていったり、普段は絵を描いたりするのに使っている。革の色は黒で、使い始めて15年になる。奥はダイアリーと軽量紙の２冊のリフィルを挟んだ仕事用。こちらはブルーで５年使っている。チャームはその時々の気分で付け替える。

今思えば、深く考えずバットを大振りしてみたら、偶然にもボールの芯を捉えてホームランになったようなものかもしれない。だけど、そうやってできあがったノートをチームのメンバーの橋本と石井と使っていくことで、この高揚感は確信へと変わっていった。

使うことでカスタマイズというアイデアが浮かんできたし、何よりノートに書くという行為がそれまで以上に楽しくなった。字が汚いことにちょっとしたコンプレックスを抱いていたのに、そのことすら味があっていいなと思えるようになった。このノートの温かな佇まいが、そんな不完全さをも受け入れて、それでいいんだよと認めてくれたような気がした。

すっかりトラベラーズノートの魅力にとりつかれた僕らは、コンペで好評を博し発売が決まったときには、効率性やマーケティング戦略などはあまり考えず、自分たちの好きなことや直感を信じて、僕ら自身がワクワクできることを何よりも大事にし

旅するように映画を見る。
TRAVELER'S COMPANY
KANE
『市民ケーン／CITIZEN KANE』
新聞王となった男が、知事に立候補したり、愛人のためにオペラ劇場を作ったり、マイケル・ジャクソンのネバーランドみたいなお城を作ったりする話。
映画を通じて1920〜30年代のアメリカの新聞やニュースなどをリアルに体感できるのがうれしい。
『第三の男／THE THIRD MAN』
典型的なミステリー映画なんだけど舞台となっている第2次大戦直後のウィーンを主人公とともに旅したような気分が味わえる映画。
旅先で謎めいた事件にまきこまれていくなんてことにちょっと憧れる。
ONCE UPONATIME IN…
HOLLYWOOD
『ワンス・アポン・ア・タイム・イン・ハリウッド
ONCE UPONATIME IN HOLLYWOOD』
これは最近の映画だけど、ずっと見たかったのが、WOWWOWで放映されたのを見た。
ゴキゲンなラジオにかっこいい車、ダイナーやレストランなど理想的な1969年のハリウッドの風景がぞんぶんに楽しめる。
この時代のハリウッド、旅してみたいなあ。
TOKYO NIGHT CRUISING
UP & DOWN UP & DOWN SLOW FAST
緊急事態宣言下の静かな東京の夜を自転車で走っていたらFISHMANSのナイトクルージングが頭の中でリフレインした。

映画録や日常の記録。もともと絵が趣味だったわけではなかったけれど、自らトラベラーズノートを使うことで、自然と絵を描くことが好きになっていった。今では1週間に1ページ、絵日記のように描いている。水彩紙はお気に入りのリフィルのひとつ。

ようと決めた。

だから、トラベラーズノートに関する仕事は、他の仕事を定時に終わらせてから放課後の部活動のようにこそこそとやっていた。まるで結成したばかりのロックバンドがスタジオにこもって演奏を重ねることで、魔法みたいなグルーヴが生まれてくるみたいに、トラベラーズノートの世界が広がっていった。

気になる作り手や表現者がいたら、トラベラーズノートを名刺代わりに彼らに会うための旅をしたし、旅の夜にはトラベラーズカフェがあったらいいなとか、いつかトラベラーズノートの基地を作ろうかとか、妄想を膨らませながら夢を語り合った。

そうやって作り上げたトラベラーズノートだから、最初のイベントにたくさんの方が足を運んでくれて、笑顔でノートを見せてくれたときは、涙が出るほど嬉しかった。ちょっと風変わりで面倒なこのノートは、たぶん世の中のすべての人に好きになってもらえるようなプロダクトではないかもし

①

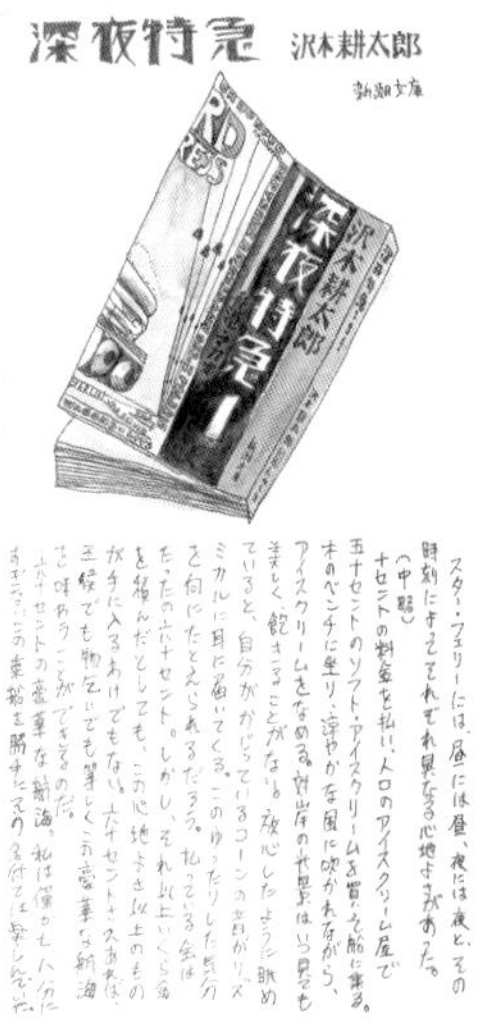
深夜特急 沢木耕太郎
新潮文庫

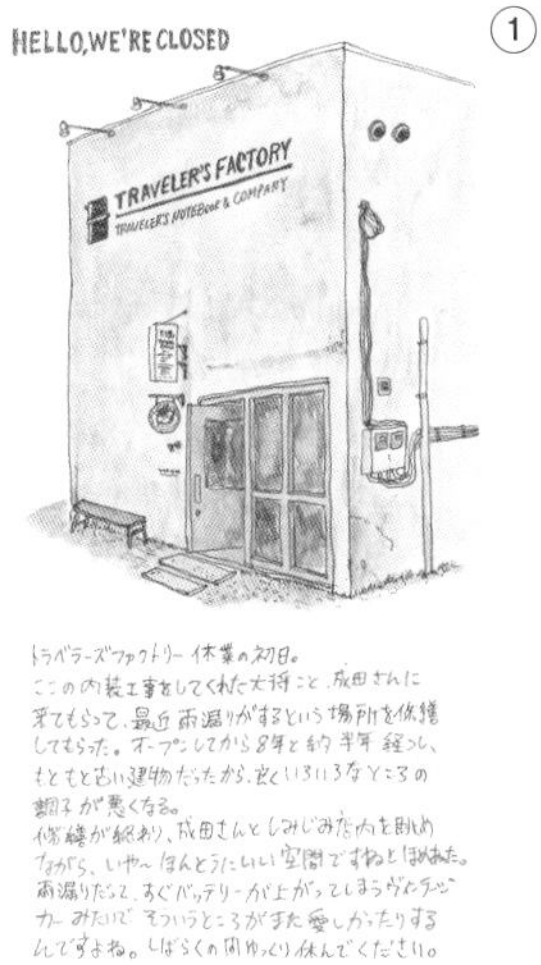
HELLO, WE'RE CLOSED
TRAVELER'S FACTORY
トラベラーズファクトリー休業の初日。
ここの内装工事をしてくれた大将こと、成田さんに
来てもらって、最近雨漏りがするという場所を修繕
してもらった。オープンしてから8年と約半年経つし、
もともと古い建物だったから、近くいろいろなところの
調子が悪くなる。
修繕が終わり、成田さんとしみじみ店内を眺め
ながら、いや〜ほんとうにいい空間ですねとほめあった。
雨漏りだって、すぐバッテリーが上がってしまうヴィンテージ
カーみたいでそういうところがまた愛しかったりする
んですよね。しばらくの間ゆっくり休んでください。

1｜読書録は定番。トラベラーズノートやトラベラーズファクトリーにまつわる日々の気付きや思いも、忘れないように書き留める。
2｜旅の記録もあれば、机上で楽しめる空想旅の記録もある。思考することと同じで、書くことは何だって自由だ。

絵を描く際の定番セット。レンブラントの固形水彩絵具は香港のパトリックの影響で使うようになった。

HOW TO ENJOY
COFFEE on Table TRIP
Have a nice trip!
HISTORY of MY HONGKONG TRIP
to be continued...

②

れない。だけど、そんなノートを好きだと言ってくれる人がこの世界にいるんだということを知って、一気に仲間が増えたような気分になった。それからのものづくりは、僕らがワクワクできるということと同時に、あの場所で会ったみんなに喜んでもらいたいということも深く考えるようになった。

あれから15年経って、チームのメンバーも増えたし、共感してくれる仲間も増えたけれど、トラベラーズノートへの想いはあの頃とは少しも変わっていない。

もちろん過去を振り返ればワクワクしたり、感動したりするだけでなく、悩むことだってあったし、生み出して作り上げるための身を削るような苦しみも、たくさんあった。

だけど、トラベラーズノートがもたらしてくれる高揚感や、新しい旅へと導いてくれる不思議な力は、いまだに尽きることがない。

トラベラーズノートが大切にしてきたものづくり

トラベラーズノートが醸し出す雰囲気は、一体どのように築かれてきたのか。ブランドを支えてきた2人に、大切にしてきたことや、日頃から意識していることを聞いた。

「誠実でありたい。ノートが好きで使ってくれている人を大切にしたい（飯島）」

Atsuhiko Iijima × Miho Hashimoto

飯島淳彦（以下：飯島）　僕がラフに描いた地球儀のスケッチをもとにロゴマークを作ったり、自分たちで撮影した写真をカタログに使ったり、立ち上げのときから思い付きでいろいろなことを試してきた。パンクが好きだし、DIY精神でまずはなんでもやってみようって感じだったね。

橋本美穂（以下：橋本）　トラベラーズらしい温かみを表現したくて、ロゴ英字「TRAVELER'S notebook」のかすれは、セロハンテープで何度も押さえてトナーをはがして作りました。

飯島　こういう感じいいよねっていうのはなかなか表現しづらいのだけど、互いに確認して作り上げた。そういう工程が積み重なって、僕と橋本で〝らしさ〟が共有されているのかも。

橋本　ミーティングが熱くなりすぎて、ときにはまわりから喧嘩しているって思われて、心配されたりもしましたね（笑）。

飯島　そうやって15周年を迎えて、その間にはいろいろなことをやってきたけど、常にバランスは大事にしてきたと思う。

橋本　そうですね。作り手としては面白いものをどんどん提供したい気持ちはありますが、自分が心からワクワクできるか、本当に使いたいかというように、作り手側と買い手側の感覚を常に行き来するように意識しています。

飯島　長く使うことでより深まる商品でしょ。なのに次から次へと新しいものが出たら、言っていることとやっていることが違う。

橋本　新しいものを生み出すことも大変だけど、続けていくことはそれ以上に大変だと感じています。そのためには、自分たちがどこまで楽しめるかということも大事。イベントもトラベラーズファクトリーも遊びを本気でやったからこそ実現できたと思いますし、たくさんの人たちとの出会いがあったからこそ、トラベラーズノートは15周年を迎えられたのだと感謝しています。

飯島　だからこそ、誠実でありたいよね。ノートが好きで使ってくれる人を大切にしたい。そもそも、自分たちがこのノートが好きなユーザーでもあるから、その共感が広がっていくことが嬉しい。

橋本　このノートの一番いいところは自由。その分、完璧でないかもしれないけど、余白や手間を楽しんでもらえたら嬉しいです。そこに旅と同じ楽しさを感じます。

飯島　余白の埋め方が人それぞれなのが楽しいし、それが使う人同士をつなげる楽しさにもなっている。

橋本　言葉が通じなくても、トラベラーズノートを使っていることで友人のようにコミュニケーションをとっている方もいますよね。ノートが言葉の壁を超える……夢があります。感覚言語といいますか、このノートが好きな人同士は、いいなと思うものが言葉なくとも通じ合えるというか。

飯島　好きなものを軸に世界が広がり、仲間も増えていく。それが、このノートのもたらすパワーなんだよね。

アートディレクター
橋本美穂

「多くの人との出会いがあったからこそ15周年を迎えられたと感謝しています（橋本）**」**

Column

ノートが文化を作る

TRAVELER'S TIMES

トラベラーズノートの新聞みたいなものがあったら楽しそうだな。最初にそう思ったのがきっかけだった。

その頃、トラベラーズカフェにトラベラーズエアラインといった感じで、いろいろなものにトラベラーズという言葉を冠して妄想していたのだけど、新聞だったら実際に作ることもできそうだと思って、学級新聞を作るみたいな気分で作ってみた。

トラベラーズノートと旅をしたときに撮影した写真をみんなで持ち寄り、僕が文章を書き、橋本がレイアウト。香港のパトリックが素敵なトラベラーズノートのレポートを送ってくれていたからそれも掲載した。

それをコピー機で出力して展示会で配ってみたら思いがけず好評で、その後、流山工場で印刷して店頭でも配るようになった。年に一度発行の超スローペースの新聞だけど、今では15号までできあがった。旅先の紹介やものづくりの現場に、皆さんのカスタマイズなど、たくさんのテーマを取り上げてきたけれど、肝心かなめの製品情報がほとんどないのもトラベラーズタイムズらしい点かもしれない。

For all the travelers who have a free spirit.
TRAVELER'S TIMES
http://www.midori-japan.co.jp/tr/
Special issue 01
旅は、思考する。
旅は、発見する。
旅は、想像力を解放する。
旅は、自らの内面をさらけ出す。
そのすべてを受け入れ、
ここに書き留めよ。
Future

2006年発行の1号。表紙のキャッチコピーは、最新号にまで引き継がれている。

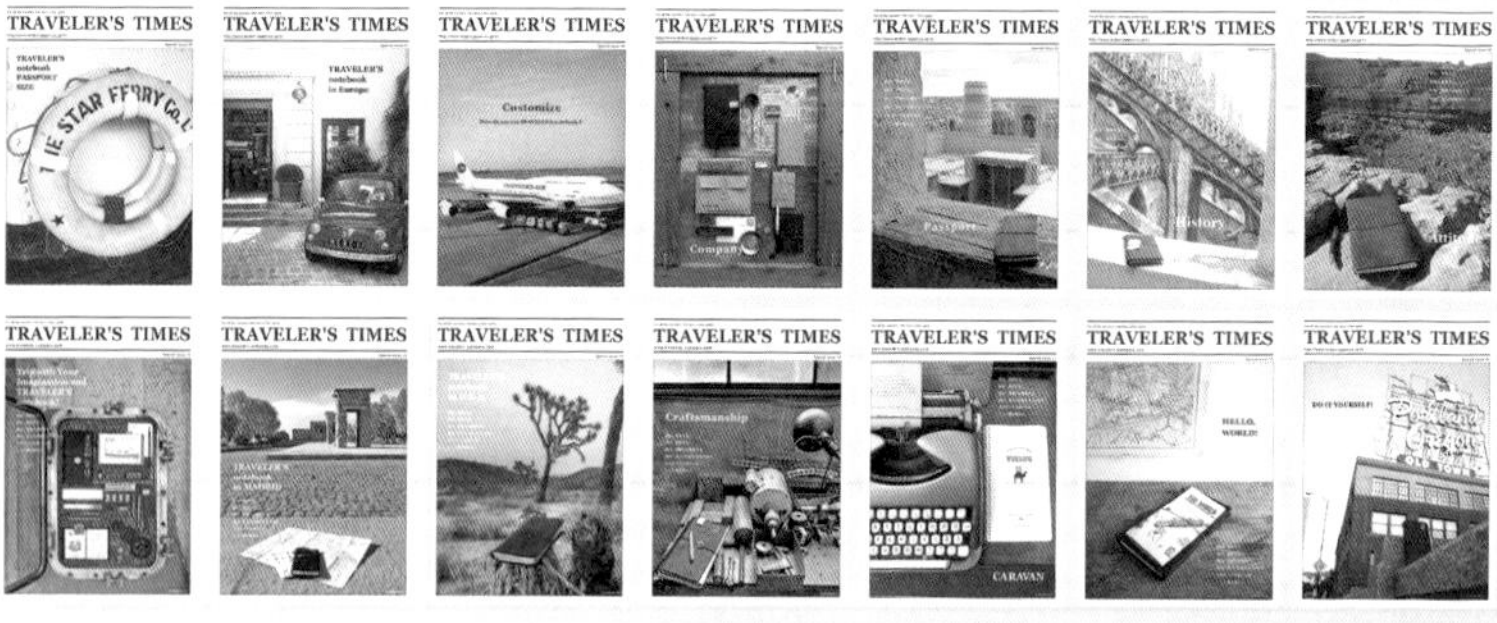

4.

Products

プロダクトの魅力

シンプルでありながら「書きたい」「使いたい」というニーズに応え、
むくむくとクリエイティビティを湧き起こしてくれる
背中を後押しするような優しさが、トラベラーズノートの各アイテムには
詰まっている。こだわりに溢れるプロダクトをおさらいしよう。

TRAVELER'S notebook

COVER

牛革素材のカバーなくしてトラベラーズノートは語れない。
使い込むほどに自分らしさが増す、カバーの魅力に迫っていこう。

牛革のカバーが作られているのは、タイ北部に位置するチェンマイの工房だ。ここで働く地元の職人たちが、植物タンニンなめしの革を1枚ずつカットし、錫製パーツでゴムを留めていく。非常にシンプルな作りだからこそごまかしはきかない。細かな傷やシワといった革ならではの個性を見極めながら慎重かつ丁寧に、一つひとつ手作業で仕上げている。

目指したのはラフでナチュラルな風合いだ。化学薬品を使うクロームなめしの革でなく、植物性の原料でなめした革を採用したのはそれが理由。手間もコストもかかるが環境に優しいうえ、使うほどに味わいが増し経年変化が楽しめる。天然素材ゆえ、同じ表情の革はふたつとないのも魅力だろう。年月と共に深まる傷も色艶も、すべてが愛おしくなる。

〈 leather 〉

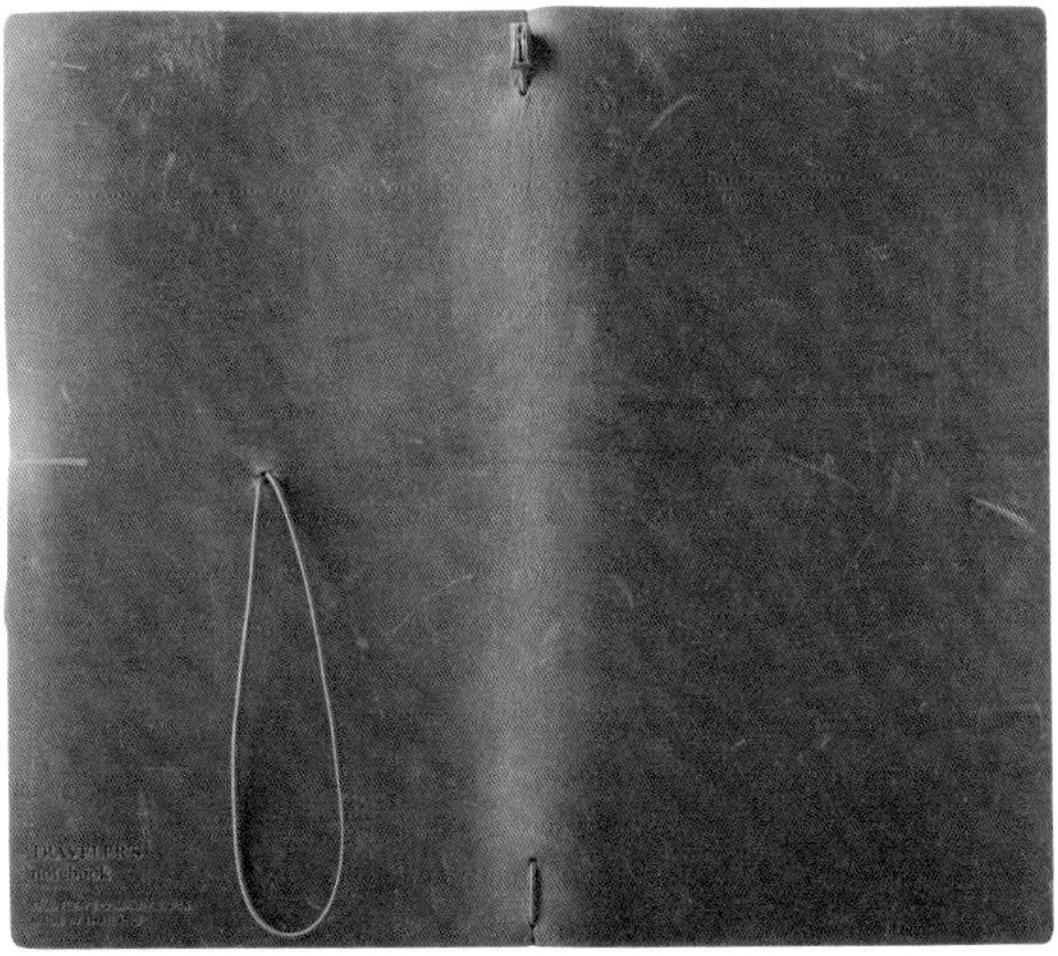

粗削りな風合いの1枚革

過剰な表面加工を行っていないため、革本来の素材感が感じられるラフな風合い。使いやすい適度な柔らかさがあるのは、革にオイルを含ませているから。経年変化しやすいのも特徴のひとつ。

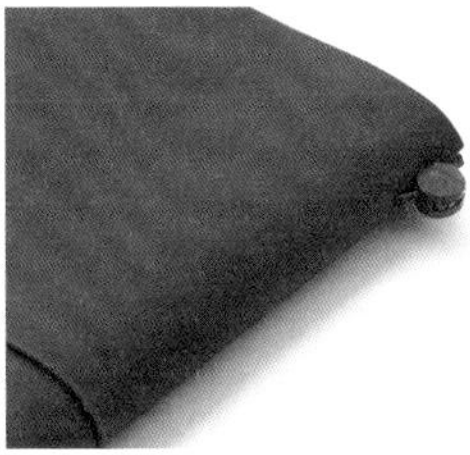

シンプルな構造

リフィルを挟むゴムは錫製パーツで留めただけ、ゴムバンドは中央の穴に通しただけという、ミニマルな作り。ゴムが伸びたり切れても、別売りのリペアキットで簡単に修理でき、長く使える。

〈 color 〉

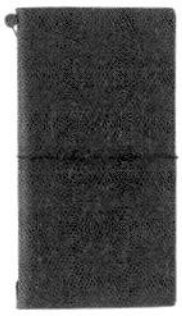

黒

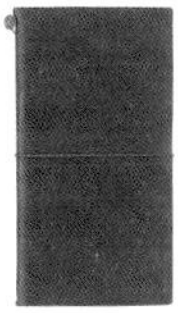

茶

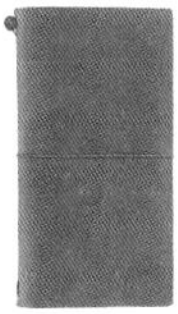

キャメル

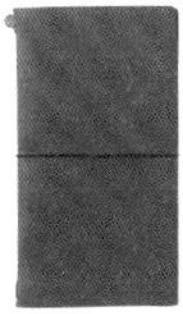

ブルー

色ごとに異なる経年変化も楽しい

レギュラーサイズ、パスポートサイズ共に4色展開。スタンダードな黒と茶に加え、色合いの変化や革の表情がわかりやすいキャメル、夜明け前の紺碧の空をイメージしたブルーが揃う。

〈 size 〉

レギュラーサイズ
220×120×10㎜

パスポートサイズ
134×98×10㎜

使い方や好みで選べる2サイズ

レギュラーサイズはA5サイズの幅をスリムにした大きさで、マップやチケットなども挟み込める。パスポートサイズはその名の通り日本のパスポートと同サイズ。ポケットにもすっぽり収まり、気軽に持ち歩ける。

● レギュラーサイズ
○ パスポートサイズ

REFILL

オリジナルのMD用紙をはじめとする
さまざまな筆記用紙、使用シーンの幅が広がる
ケースやポケットなど、多種多彩なリフィルがラインアップ。

　トラベラーズノートに、人生の旅人である私たちの足跡を刻んでいく。シンプルな作りと素材感は自由を感じさせ、チャームやステッカーで自分らしくカスタマイズをすると、より一層愛着が深まるはずだ。使い方も、シーンも、カスタマイズも、十人十色。多様なユーザーの思いに応えるように、4種類からスタートしたリフィルは、現在定番アイテムだけで30種類以上を展開している。

　無地、画用紙、軽量紙、クラフト紙、ダイアリーなど、紙の質感やノートの仕様はさまざま。紙の質感が変われば、ノートに向き合う気持ちも変わる。ひとつのカバーに複数のリフィルをセットすれば、ノートの可能性はもっと広がっていくだろう。人生と同じように、決められたルールなんてないのだから。

〈 notebook 〉

無罫

購入時のトラベラーズノートにセットされている、MD用紙を使った無地タイプ。最も自由度が高いオールラウンダー。

セクション

図形や文字が書きやすい5㎜間隔の方眼ノート。思考の整理がしやすく、写真やチケットを貼るのにも便利。MD用紙を使用。

横罫

書きやすさを追求した国産のオリジナル筆記用紙、MD用紙を使用。罫線の幅は一般的なA罫とB罫の中間にあたる6.5㎜。

クラフト紙

ざっくりとした風合いと筆記性のよさを兼ね備えたオリジナルのクラフト紙。スクラップノート用としても人気が高い。

軽量紙

軽く薄い紙を使用しているため、中紙は通常リフィルよりも多い仕様。薄いとはいえ、書き心地のよさはもちろんキープ。

画用紙

旅先でのスケッチに最適な画用紙のリフィル。水彩画も描ける厚めの紙なので、スタンプ帳としてもおすすめ。

水彩紙

耐水性が高く、裏抜けしにくく、発色もよい三拍子揃った高品質の紙。水彩画だけでなく、鉛筆やペンでのスケッチにも。

ドット方眼

文章やイラスト、図形など書く際、便利なガイドとして機能する5㎜間隔のドット方眼。MD用紙を使用している。

MDクリーム

万年筆でもにじみや裏抜けがしにくいMD用紙を、淡いクリーム色に。目に優しく、万年筆のインクの発色も邪魔しない。

〈 diary 〉

※このほかに各年ごとのダイアリーがある。

月間フリーダイアリー ●

1か月の予定を俯瞰できる月間ブロック。日付は入っていないので何月からでも使い始められる。ダイアリー系リフィルはすべてクリーム色のMD用紙を使用。

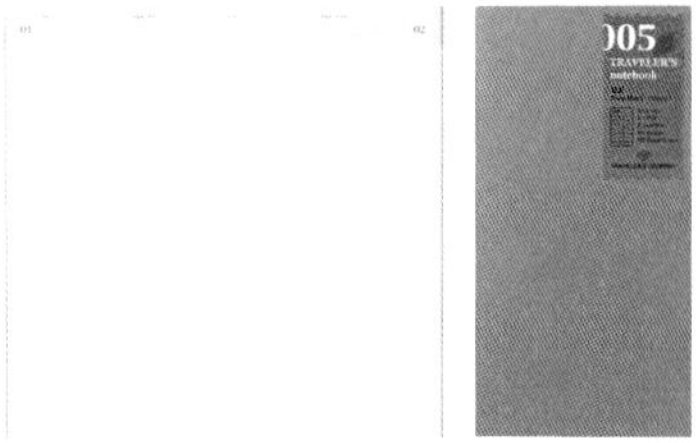

日記 ●

1日1ページの日記を2か月分書けるフリーダイアリー。ノート部分は5㎜方眼、上部にタイトルが記入でき、曜日にチェックを入れるスペースが設けられている。

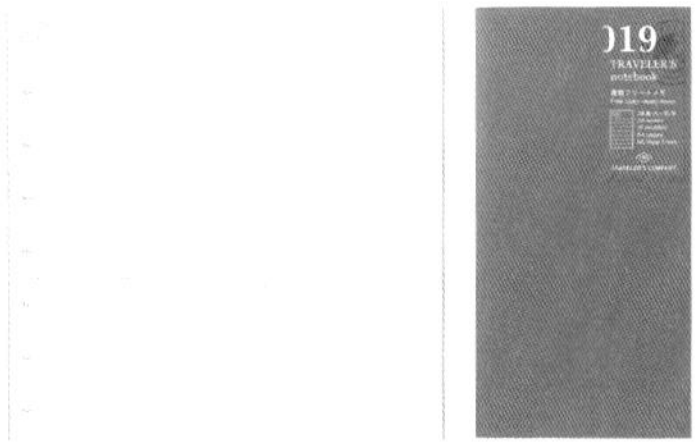

週間＋メモ フリーダイアリー ●

左ページに1週間のスケジュール、右ページに5㎜方眼のメモスペースがレイアウトされている。1冊で週間ページは6か月分。使い方は自分流にアレンジを。

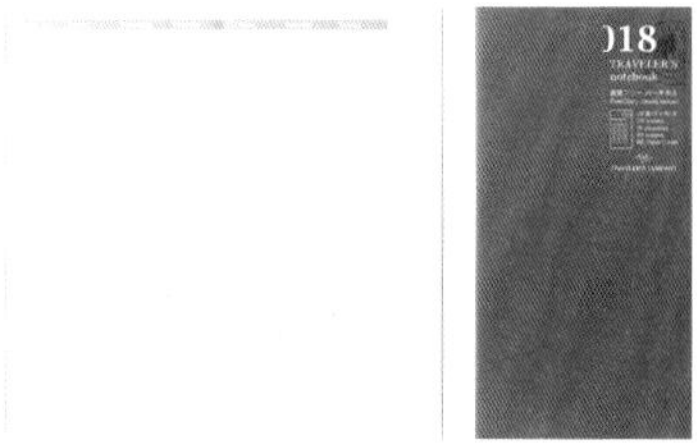

週間バーチカル フリーダイアリー ●

1週間のスケジュールを時間軸で記入できるバーチカルで、6か月分書き込める。日付は自分で入れる仕様。平日も土日も同じスペースで、フリーページもある。

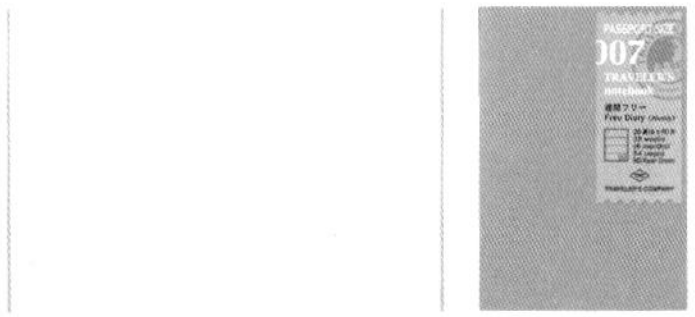

週間 フリーダイアリー ○

見開き単位で1週間、1冊で6か月分の予定を書ける。ひと言日記帳として使うのもおすすめ。文字が裏抜けしにくいMD用紙は、ダイアリーにも最適だ。

月間フリーダイアリー ○

ベーシックな月間ブロックのダイアリーで、日付が入っていないフリータイプ。パスポートサイズなので、大切な人の誕生日などを記す記録用としても。

〈 file & holder 〉

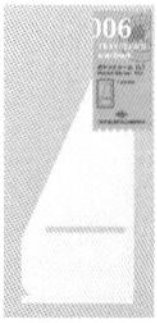

ポケットシールL ●

使い方はポケットシールと同様。ノートリフィルをもう1冊挿入したり、旅先でもらったパンフレットを入れたりと、自由度が高い。

ポケットシール ●

トラベラーズノートの革カバーの内側に直接貼れば、A４三つ折りやチケットなどを収納できる便利なポケットが即座に完成。

クラフトファイル ●○

素材には丈夫な含浸紙を使用。革カバーとの相性もよいナチュラルな風合いだ。ステッカーを貼ってカスタマイズするのも◎。

ジッパーケース ●○

片方は鍵やコインも収納できるジッパー付きのケース、もう片方はポケットが付いたリフィル。透明なので、中身がわかりやすい。

名刺ファイル ●

革カバーのゴムに挟んで取り付けるカード用ファイル。12ポケットあり、名刺やカード、チケットなど紙ものの収納に重宝する。

三つ折りホルダー ●

A４サイズの紙を三つ折りにした状態で革カバーに挟める仕様。旅やビジネスなどで、何かと使い勝手がよい。

カードファイル ●

リフィル1冊まるごとカードサイズのポケットになっており、60枚分収納できる。台紙はクラフト紙で、旅感もたっぷり。

フィルムポケット ●

カードサイズの透明フィルムのポケットシールで、ノートリフィルの中紙の好きな位置に貼れる。1パックに18ポケット入り。

OTHERS

トラベラーズノートをもっと楽しく、もっと快適に、もっとクリエイティブに
使ってほしいという思いから誕生した、さまざまなアイテムがある。

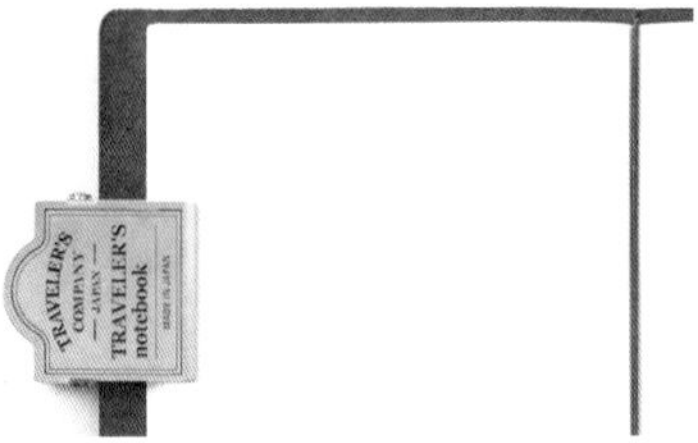

ブラスクリップ

トラベラーズノートを開いた状態で固定できるので、筆記時や中面の写真を撮る際などに便利。素材は無垢の真鍮。時と共に味わいある色に変化していく。

ペンホルダー

金属のクリップをトラベラーズノートの革カバーに取り付けて使用するペンホルダー。革製のホルダーには、直径12㎜までの筆記具を通すことができる。

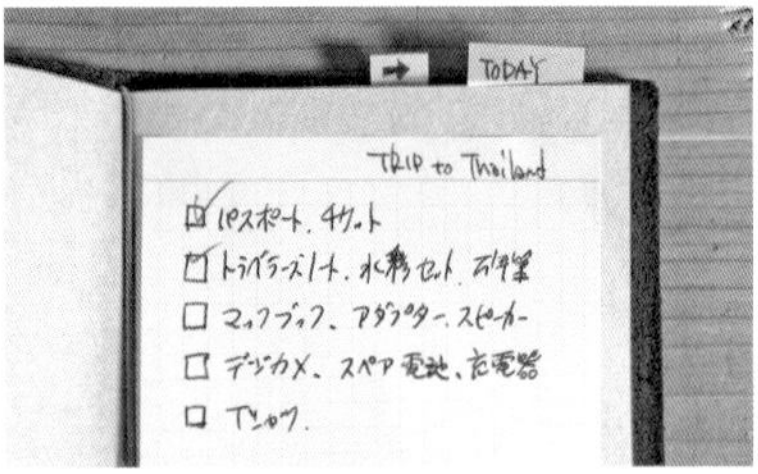

付せん紙

5㎜間隔のグリッド、便利なフレームがデザインされたもの、インデックスになる細めのタイプなど、8種類の付せん紙が30枚ずつセットされたリフィル。

リフィル用バインダー

使い終わったノートリフィルは、自らの旅の記憶。保存にはリフィル専用バインダーがぴったりだ。これひとつに5冊まで収められる。

両面シール

カードやチケットをその場で気軽にスクラップ。シート状なのでノートに挟んで持ち歩ける。

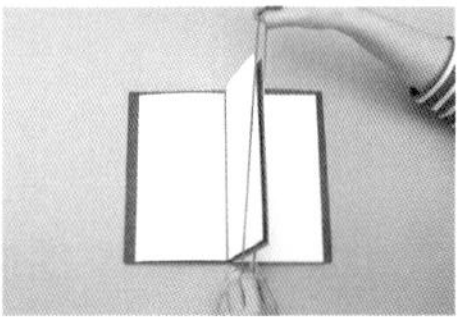

リフィル連結バンド

ひとつの革カバーに複数冊のリフィルを挟める簡単ツール。ノートを使い分けできるのも醍醐味。

リペアキット

錫製の金具、ゴム8色、しおり用の紐2本のセット（カバーは別売り）。取り付け方の記載もある。

TRAVELER'S FACTORY ORIGINAL

トラベラーズファクトリーの各ショップとオンラインショップでしか販売していない、
レアなオリジナルプロダクトも多数展開。その一部をご紹介。

マスキングテープ

当初はトラベラーズファクトリーの包装用備品として制作されたもの。素敵な仕上がりだったため、販売を決定。チケットやバゲッジタグなど、旅をテーマにしたデザインが多数揃う。

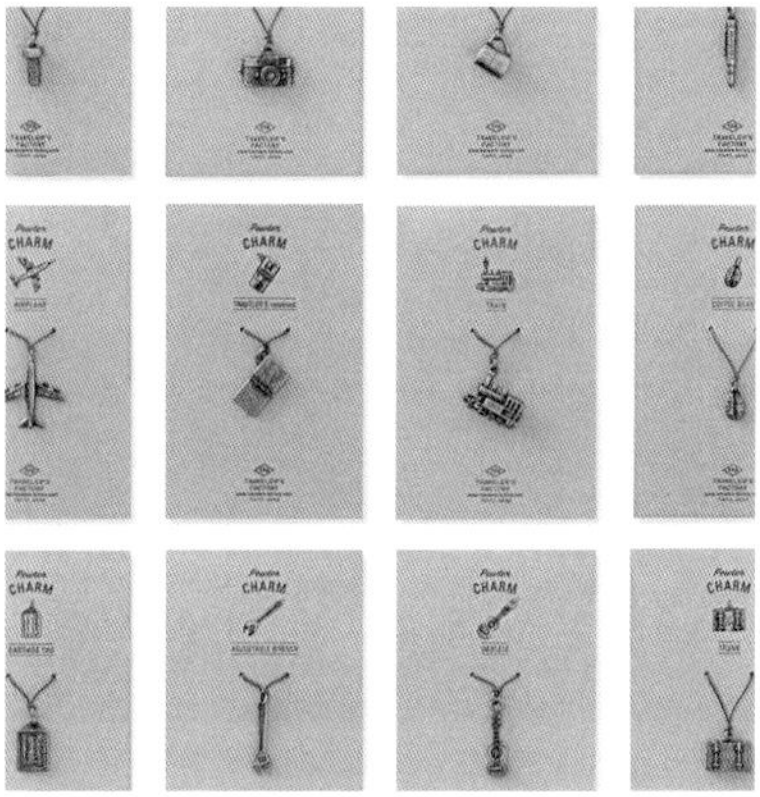

チャーム

飛行機やカメラ、トランクなど、トラベラーズノートの留め具と同じタイの工房で作られる錫製のチャームは計12種類。素朴な佇まいで、色合いは一つひとつ微妙に異なる。お気に入りを見つけるのも楽しい。

ペーパークロスジッパーケース

紙のような質感のコットン生地、ペーパークロスを用いたプロダクトを制作するフォーアローブとコラボしたトラベラーズノート用ジッパーケース。写真のスカイのほか、マスタード、オリーブ、ブルーも。

カラーリフィル

イエロー、ピンク、ターコイズのクラフト紙と、写真が映える黒い紙を使ったノートリフィル。用途やスクラップの内容によって色を分けるなど、使い方のアイデアがどんどん湧きあがってくる。

歴代コラボを眺める

過去にコラボレーションした30を超えるブランドから、
その一部を抜粋して紹介。多彩なアイテムは、眺めているだけで楽しい。

Ⓝ=トラベラーズノート／Ⓡ=リフィル／Ⓟ=ブラスペン
※年数はコラボレーションした年を表しています。
※販売終了品も含まれます。

UNWIND
HOTEL & BAR
Ⓡ／2019, 2020

Baum-kuchen
Ⓡ／2020

東京メトロ
Ⓡ／2016

TO&FRO
ⓃⓇ／2019, 2020, 2021

Star Ferry
ⓃⓇⓅ／2013

星野リゾート
ⓃⓇⓅ／2019

CHARKHA
Ⓡ／2013, 2014, 2019

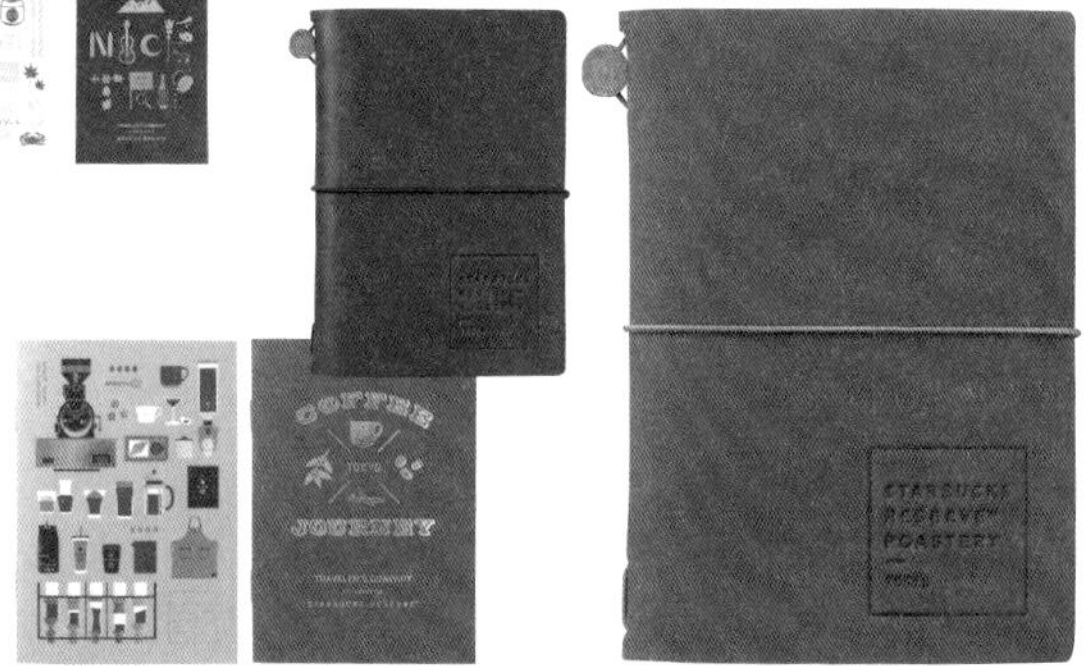

Starbucks Reserve® Roastery Tokyo
ⓃⓇⓅ／2019, 2020

BOOK AND
BED TOKYO
ⓇⓅ／2016

Braniff
Ⓡ／2013, 2014

TRUCK
FURNITURE
Ⓟ／2014

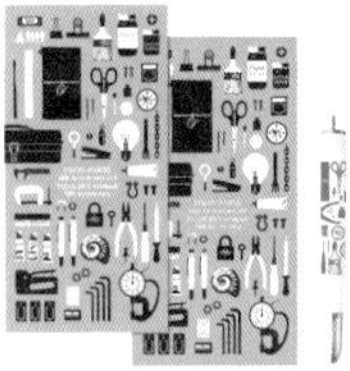

東急ハンズ
ⓇⓅ／2016

tokyobike
ⓃⓇⓅ／2013, 2019

Kona Bay
Ⓡ／2015

Ace Hotel

NRP／2015, 2016, 2017, 2018, 2020

On The Road

RP／2013

Nigel
Cabourn

NRP／2013, 2021

Janis:
Little Girl Blue

R／2016

恵文社一乗寺店

RP／2015, 2019

NEXCO 中日本

NR／2012, 2013

Hong Kong
Tramways

NRP／2014

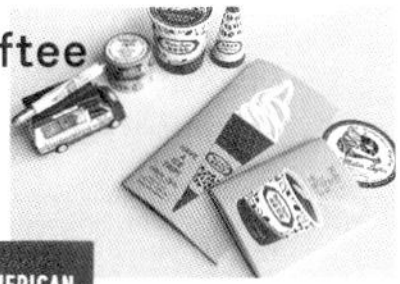

Mister Softee

RP／2017

Merci

P／2012, 2019

PAN AM

RP／2014, 2015

the eslite
bookstore

RP／2016, 2019

水縞

R／2018

Hawaiian Airlins

R／2015

House
Industries

R／2017

city'super/
LOG-ON

RP／2019

Rainbow
Drive-In

R／2015

Prada

NRP／2019, 2020

Column

ノートが文化を作る

トラベラーズノートと仲間たち

僕らが尊敬し、共感できる作り手であったり、愛情とともにトラベラーズノートを扱い、お客さんに紹介してくれるお店であったり、そしてもちろん、トラベラーズノートを楽しく使ってくれる方であったり、そんな方々と出会うことで、トラベラーズノートの世界が広がっていった。だから、トラベラーズノートは決して僕らだけでなく、これらの同じ価値観を共有できる仲間たちと共に作ってきたものだと思っている。

トラベラーズノートと一緒に使いたい道具としてブラスプロダクト、弟分のようなノートとしてスパイラルリングノートを作ったときに、それらをすべてまとめて「トラベラーズノートと仲間たち」と呼ぶことにしたのだけど、この仲間には、「プロダクト」の仲間ということと同時に、トラベラーズノートを支えてくれる「人」の仲間という想いも込めている。英語で書くと、TRAVELER'S notebook & Companyになる。

その後、ミドリからブランド名を変更することになったとき、それを省略して「トラベラーズカンパニー」と決めた。だから、ここでのカンパニーは「会社」ではなく「仲間」という意味になる。日本語に訳すと「旅人の仲間」。けっこう気に入っている。

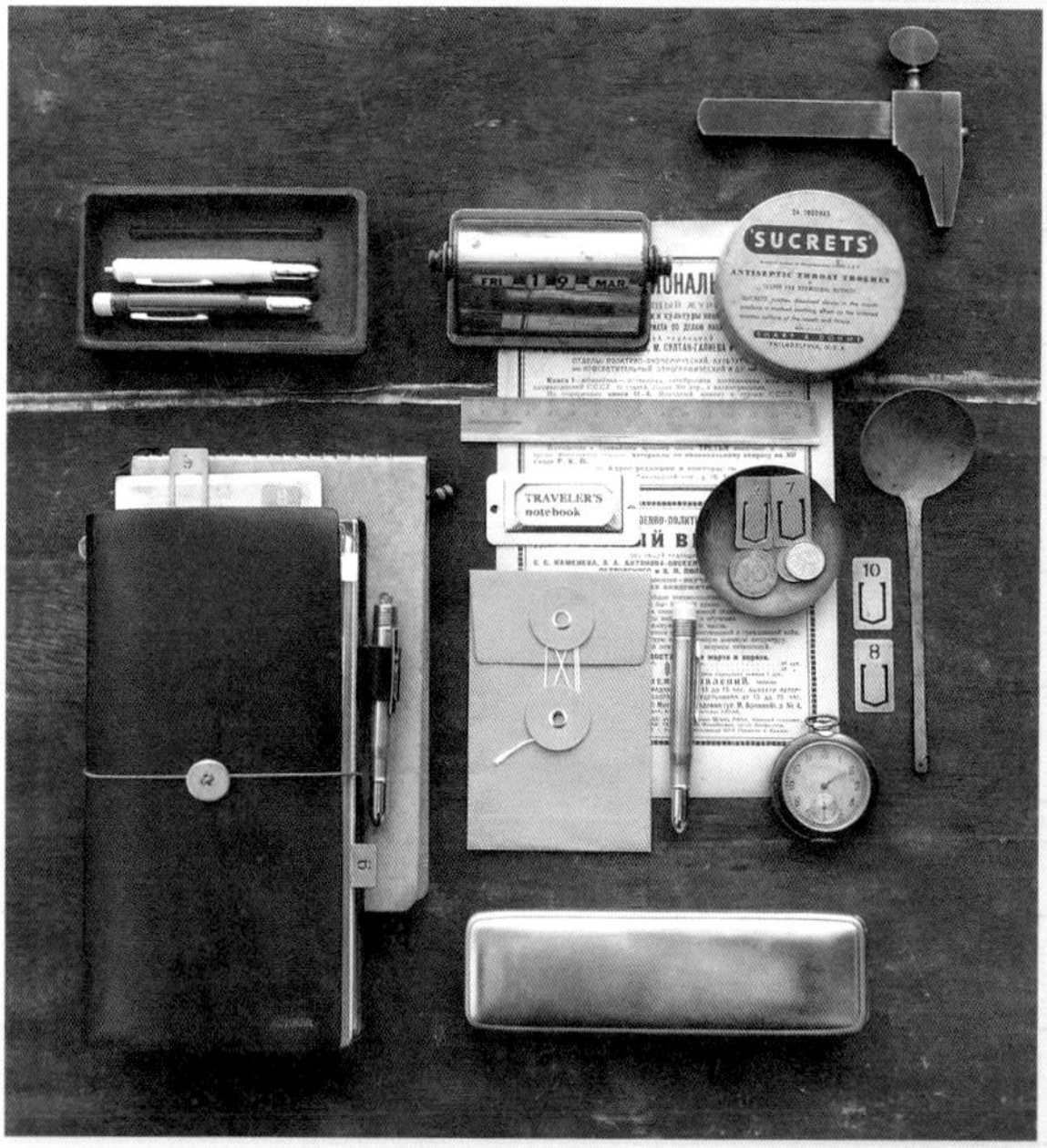

5.

Customize

使う楽しさを格上げする

ノートとはパーソナルなもの。もちろん人に見せる必要はない。
でも毎日を共に過ごすものだからこそ、自分好みにアレンジしたい。
ここでは、カスタマイズのアイデアや、筆記具×リフィルの組み合わせなど、
トラベラーズノートをより自分色に染め上げる楽しみを紹介する。

CUSTOMIZE

01

カスタマイズは気分転換
思い立ったらやってみる

成田 秀さん／空間デザイン会社勤務

誰かにもらった
コンチョ
TRAVELER'S FACTORY
1980
昔登った
月山のキーホルダー
リーバイスの
パッチ
AUSS & CO.
CLOTHING
東京・中野の
旅屋で買ったピン

鳥取のカエル工房で買った
ヤモリのチャーム

トラベラーズファクトリー
クリスマス限定レザータグ

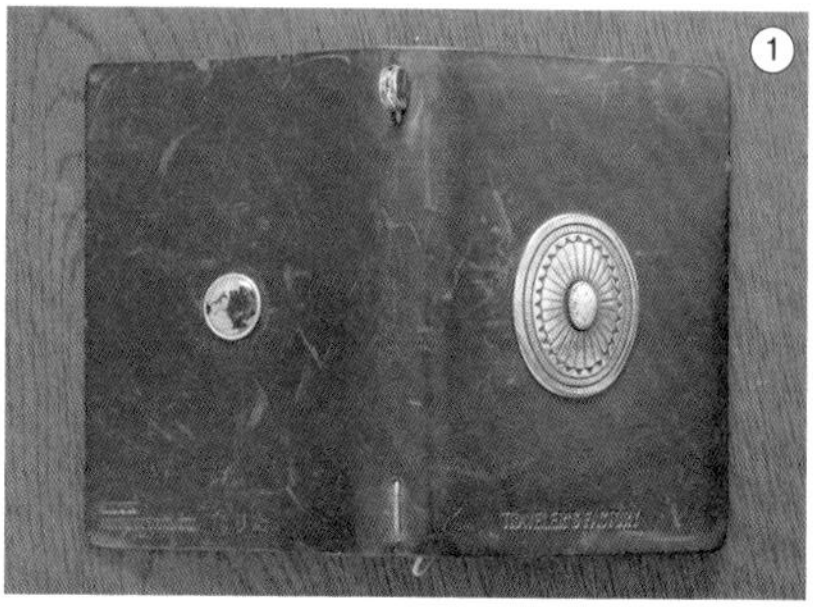

1｜パスポートサイズのカバーはゴムバンドを外して使用。ゴム穴にはピンを付けた。2｜銀座の安藤七宝店で購入したフクロウのチャーム。3｜目の細かいサンドペーパーでカバーを軽く研磨。マットな質感がお気に入り。4｜「何かに使えるかも」と思って集めているアイテムたち。

空間デザインの仕事をする成田秀さんは、何かを作るのはお手のものだ。自宅リビングには古い足場板を使ったオリジナルの棚、その上には足場板の切れ端で作った手帳立て、木材に穴を開けて作ったというペン立てが並ぶ。成田さんの好きなものを詰め込んだ秘密基地のような雰囲気だ。

「作るのも好きですが、壊すのも好きで。子どもの頃はいろんなものを分解してもとに戻せなくなっていました」と、笑う。

好奇心に突き動かされる性分は今も健在。トラベラーズノートのカスタマイズにも通じているようだ。最初はチャームに凝って時々取り替えて楽しんでいたが、次第にコンチョやピンを付け始めるやジワジワと性分が発揮され、手を加え始めた。

「長く愛用したジーパンを捨てるときに、何かに使えるかもと思ってパッチを取っておいたんです。それで、ふと思いついて愛用中のカバーに付けてみました」

パッチをカバーに付けるために使ったのは、ザイロンというシールメイカー。これ革はテカテカ派ではなくマット派という成田さん。カスタマイズしたカバーはどれもしっとりとした質感で、自然な傷跡が渋い。

5｜ベランダの植物や台所の景色をスケッチ。ミントタブレットの空き缶を活用した絵具セットがキュート。
6｜ブラスプロダクトの万年筆とペンがお気に入り。ペン立ては端材に穴を開けた自作品。

を使ってパッケージや包装紙のデザインなどいろいろなものをシール化し、シール台紙リフィルにコレクションしているというから、トラベラーズノートの満喫ぶりもうかがえる。

「カスタマイズっていっても、気分転換みたいなもんだから……。こんなのでいいの？」

成田さんはしきりにそう言っていたが、これもトラベラーズノートの気楽さゆえ。肩肘張らず自由で軽やか。もちろん、ノートの中身にも、成田さんらしい密かなお楽しみがたくさん詰まっていた。

トラベラーズファクトリーのショッパーで作ったブックカバー。真似したいアイデア。

CUSTOMIZE

02

ノートはファッションの一部 自分スタイルを加えて育てる

河合 誠さん／レザーグッズブランド代表

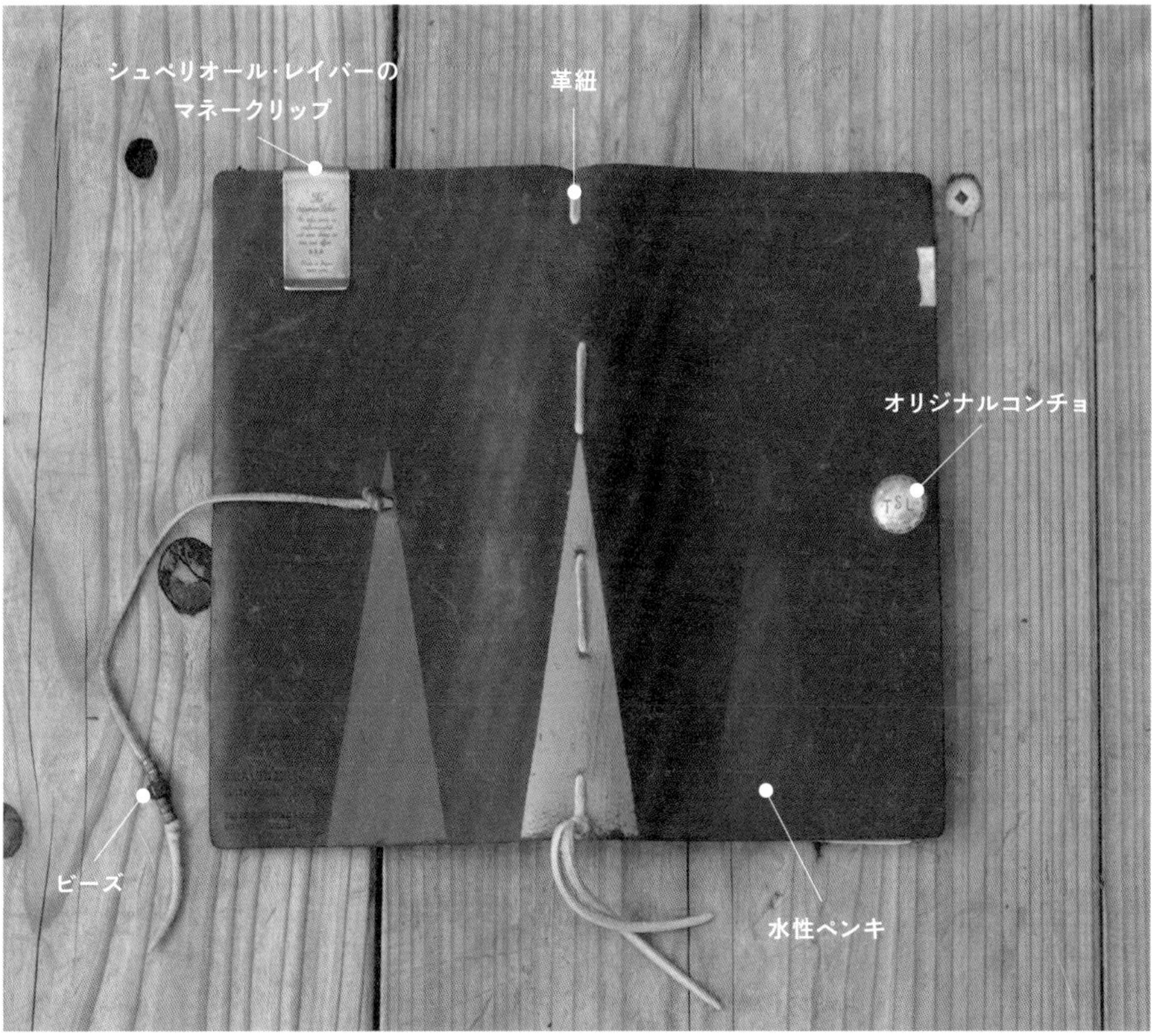

革との相性がよい真鍮製のマネークリップは、河合さんが代表を務めるシュペリオール・レイバーのオリジナル。カバーの背に錐などで穴を開けて通した革紐もいいアクセント。

岡山県の山間部でバッグや革小物の製造販売を行う河合誠さん。初めてトラベラーズノートに出会ったとき、こう思った。「このノートには想像力が必要。何かしてくれ！何かやれよ！って言われている気がしました」。瞬間的に、ものづくり好きの血が騒いだ。

河合さんが愛用するトラベラーズノートは、思い切ったカスタマイズが印象的だ。水性ペンキで三角形の柄を付けたカバーはインパクト大！「このときの気分はネイティブアメリカン」だったそう。

「自分にとって手帳はファッションの一部。自分らしくて気持ちが上がるものを持っていたい。たとえば、海外に行くときに、空港で航空券やパスポートをトラベラーズノートに挟んで持っている。それだけでワクワクしてくるでしょ？」

１９７２年生まれの河合さんは、子どもの頃、よく旅遊びをしていたという。水着入れの巾着に缶詰と飲み物を入れて塀の上を歩く。路地の一角で缶詰を食べてまた歩

1｜カバーの背にも主張がある。重ねたり、立てたりすると一目瞭然。2｜カスタマイズに使うアイテムは真鍮、ビーズ、革紐など。すでにコーディネートされた雰囲気。3｜マスキングテープで枠を決めれば、フリーハンドでもきれいにペイントできる。4｜新作のカスタマイズは、濃い色の革に際立つカラーリングのペイント。使い込んで馴染んでいくのも楽しみだ。

く。「今の時代なら怒られるかもしれませんが、手に入れた肥後守《ひごのかみ》というポケットナイフを忍ばせて。冒険気分でした」

河合さんの話を聞いて、映画『スタンド・バイ・ミー』の世界が頭に浮かぶ。

「そう！　トラベラーズノートって『スタンド・バイ・ミー』に登場してもおかしくないよね」。河合さんの声が弾み、話は続く。

「最近、狩猟免許試験を受けたので〝ハンターノート〟を作って、生ハム仕込みを記録したい。あと、お菓子作りも始めて〝本気のお菓子ノート〟も作りました」

カバーのカスタマイズのイメージもまだまだ膨らむ。「次はTPOに合わせた大人っぽいカスタマイズをしてみたい。黒いレザーカバーで、かしこまった場所にも似合う雰囲気もいいよね！」。

河合さんにとってトラベラーズノートは未来。ファッションと同様に自分の中の流行の波に乗りながら、そのときのカスタマイズを楽しむ。自分らしさを表現したノートを手に、ワクワクはますます止まらない。

5｜夏は子ども用プールに足を浸しながらノートを書くのが定番スタイル。愛犬のフーバーくんも一緒に涼みながらくつろぐ。**6**｜最近始めた“本気のお菓子ノート”。**7**｜歴代のカスタムカバーたちからは、そのときの気分がにじみ出る。

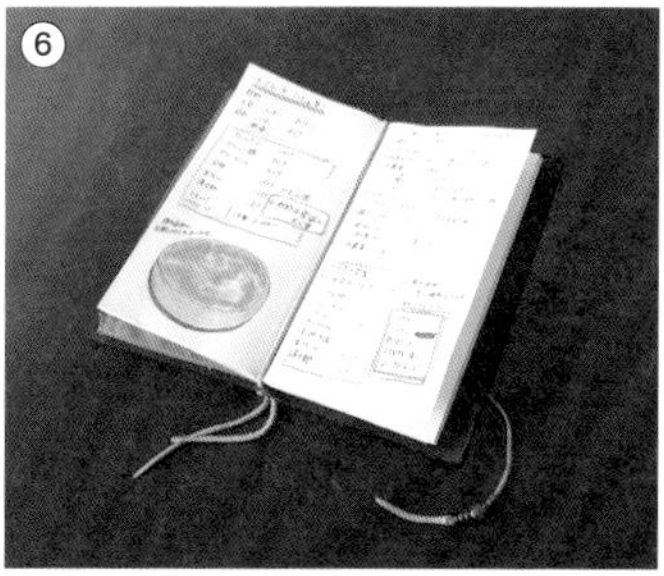

7

CUSTOMIZE

03

濃い色のレザーに白のチャームが私の定番

"m・i・m・i" さん
Instagram：@miimiii.0303

アンティークな雰囲気やトラッドが好きだという"m・i・m・i"さん。

「私にとって手帳とコーヒーはセット。コーヒーを飲みながらお気に入りの文具や雑貨に囲まれて手帳時間を過ごすのが一番の癒やしであり楽しみです。まさに至福の時間！　私のパワーチャージ法です」

海外のサイトやインスタグラム、ハンドメイド作品販売サイトなどをチェックして、アイデアを参考にしたり、好みのチャームや小物を見つけては、気分に合わせてカバーに付ける。

「濃い色のカバーに白いチャームの組み合わせが好き。季節に合わせて素材やモチーフを変えて……衣替えに似てるかも！」

海外の通販サイトPinkoiで購入したFlower Diaryメタルチャームがよく映える。「白いドライフラワーは、海外ユーザーさんのpostを見てひらめきました」。

白いレースで作ったしおりは星形シェルがお気に入り

CUSTOMIZE

04

コレクター心がくすぐられっぱなし

HISHIKI@長声一発さん
Twitter：@Schwarz_eins

旅にまつわるアイテムを使ってカスタマイズを楽しむHISHIKI@長声一発さん。「チャームは鉄道系グッズの店で購入したものやヱビスビールのおまけ、ガチャガチャで集めたものも。トラベラーズファクトリーの成田空港限定缶バッジも、あと少しでコンプリートです！」

成田空港限定缶バッジも絶賛収集中！
北斗星
HOKUTOSEI
日本海
NIHONKAI
鳥海
CASSIOPEIA
SAKURA
NRT

カスタマイズをしているカバーはなんと14冊！「一番のお気に入りは故郷の函館を走っていたSL函館大沼号のチャームです」。

CUSTOMIZE

05

手芸店でひらめいた私らしいカスタマイズ

エハガキ華さん
Instagram：@ehagaki_hana

きっかけは手芸店で見かけたネームホルダー。留め具付きで簡単に付けられそうと思い、初めてのカスタマイズに挑戦した。「カバーにこんなにたくさん金具を付けている人をあまり見かけないので、自分だけのトラベラーズノートになった感じがして、愛着を感じています」

1｜ノートの中身はティーバッグのタグのコレクション！

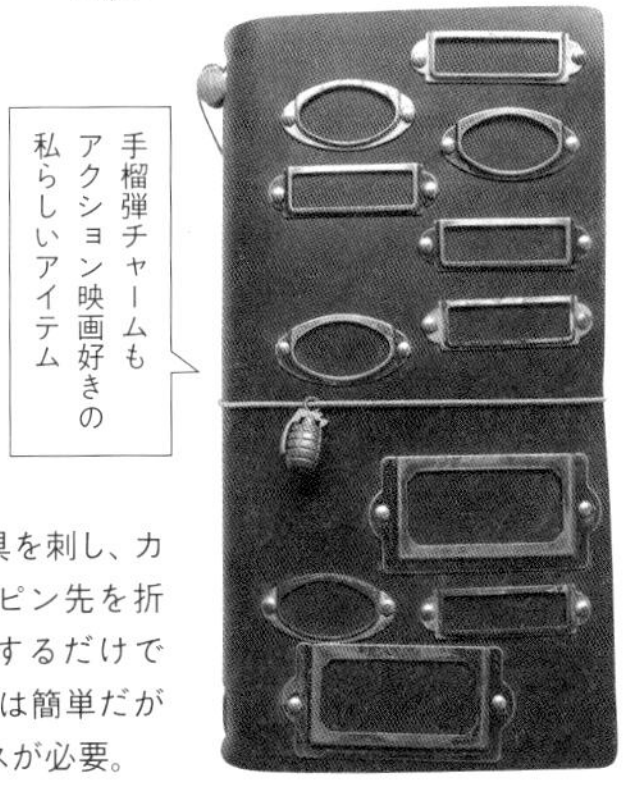

手榴弾チャームもアクション映画好きの私らしいアイテム

カバーに留め具を刺し、カバーの裏側でピン先を折り曲げて固定するだけでOK。付けるのは簡単だが配置にはセンスが必要。

紙と筆記具の相性を楽しむ

新しい紙との出会いは、新しい表現を生み出す。
紙の質感や特性、リフィルごとの特徴を踏まえ、
「どんな筆記具を使い、何を書こう」と考えるのも楽しい。
ここで紹介する組み合わせはアイデアのヒントなるはずだ。

書きたい思いと向き合える

多数のリフィルノートで使用されているオリジナルの白い筆記用紙、MD用紙。MDクリームはクリーム色のMD用紙で、万年筆ユーザーからの支持も厚い。インクのにじみにくさ、発色のよさ、乾きやすさ、裏抜けがないかなど、厳しい検査基準をクリアした紙のため、“書く”時間と大切に向き合える、快適な筆記性を叶えてくれる。

MDクリーム×万年筆

思いがけないアイデアを誘発する、ラフな風合い

トラベラーズノートのクラフト紙の魅力は、ナチュラルな風合いと筆記適性を両立させたことだろう。鉛筆が紙の上を滑るたびに聞こえる小気味よい音、気負わず書けるラフな素材感、すべてを受け止めてくれるような器の大きさを感じさせ、それがクリエイティビティを刺激する。頭に浮かんだひらめきをパッと記す、アイデアノートとしても最適だ。

クラフト紙×鉛筆・色鉛筆

薄い紙だが裏抜けしにくく、たっぷり書ける

ビジネスでもプライベートでも、1冊のノートにたっぷり書きたい人におすすめなのが軽量紙のリフィル。紙が軽くて薄いため、他のリフィルノートと厚さや重みはほぼ同じでありながら、ボリュームは倍の128ページ（レギュラーサイズ）を実現している。薄い紙だと文字の裏抜けが気になるがご安心を。ボールペンをはじめさまざまな筆記具に対し、良好な筆記性を確保している。

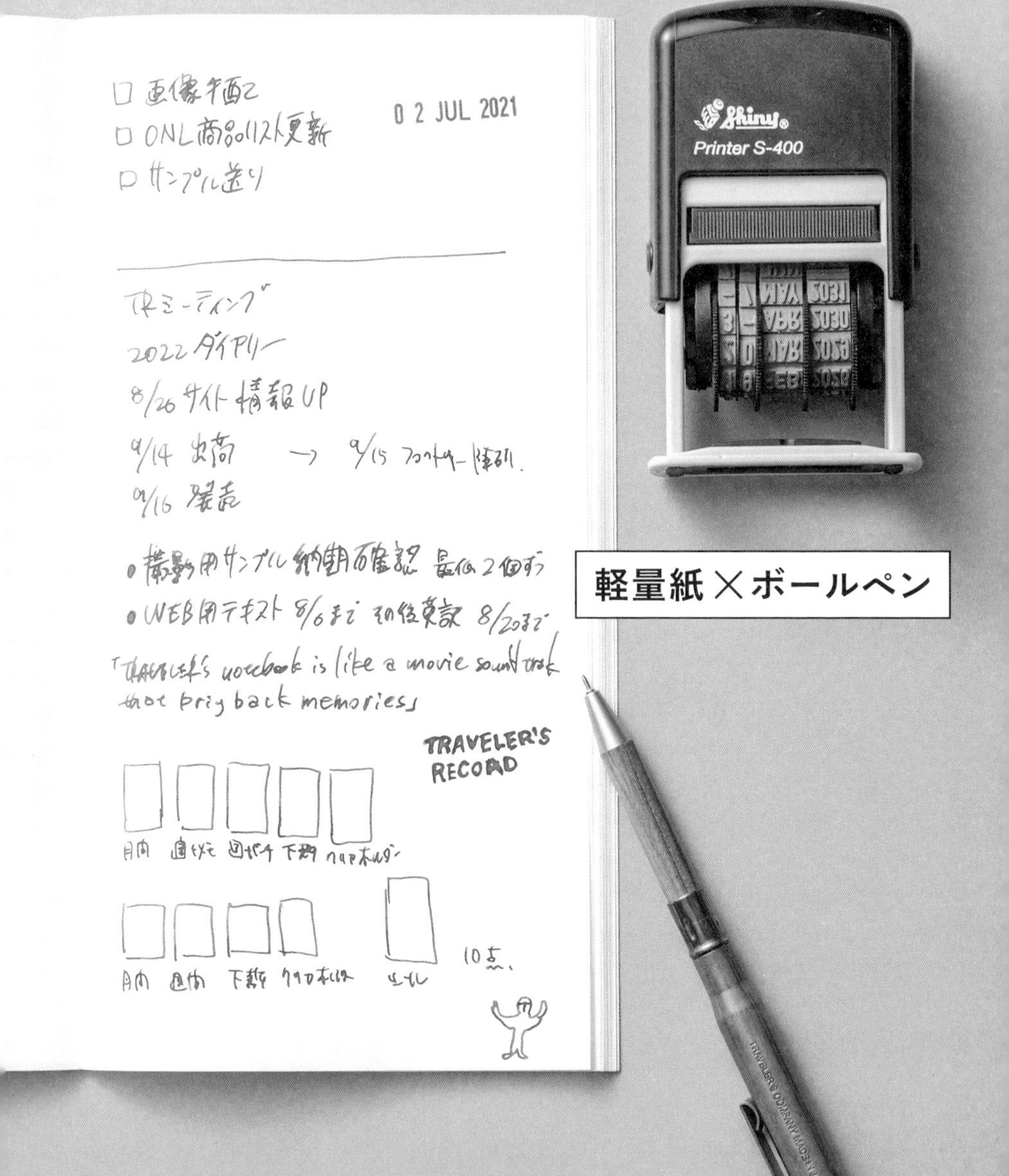

軽量紙×ボールペン

旅先でも、日常でも、水彩スケッチを

旅して出会った心を打つ風景、いつも立ち寄る公園に咲いた季節の花、「絵に残したい」と感じる光景を目にしたとき、トラベラーズノートを開く。挟んでいるのは水彩紙のリフィルだ。ペンで描き、絵具を重ねても、紙は毛羽立つことなく発色も美しい。ミシン目から切り離し、絵葉書として旅先のポストに投函するのも一興である。

水彩紙×水彩絵具

ABOUT TRAVELER'S FACTORY

トラベラーズカンパニーの直営店、トラベラーズファクトリー。
定番品からオリジナルプロダクトまで豊富なアイテムが揃う。

TRAVELER'S FACTORY NAKAMEGURO

住所：東京都目黒区上目黒3-13-10
TEL：03-6412-7830
営業時間：12:00～20:00
定休日：火曜

TRAVELER'S FACTORY AIRPORT

住所：千葉県成田市成田国際空港
第1旅客ターミナル 中央ビル 本館4F
TEL：0476-32-8378
営業時間：8:00～20:00
定休日：なし

TRAVELER'S FACTORY STATION

住所：東京都千代田区丸の内1-9-1
JR東日本東京駅構内B1F 改札外（グランスタ丸の内）
TEL：03-6256-0486
営業時間：10:00～22:00（日曜、連休の最終日は～21:00）
定休日：なし

TRAVELER'S FACTORY KYOTO

住所：京都府京都市中京区烏丸通姉小路下ル場之町
586-2 新風館1F
TEL：075-241-3003
営業時間：11:00～20:00
定休日：なし

● ONLINE SHOP
https://www.tfa-onlineshop.com/

※2021年8月時点のショップ情報です。
営業形態が変更となる場合もありますので、
来店前に必ずご確認ください。

WORLD REPORT

海外での盛り上がりもすごかった!

トラベラーズノートは、なぜ日本だけでなく海外にも広がっているのか――。作り手の想いと共に、海外での盛り上がりについても紹介したい。

トラベラーズノートは、現在、40を超える国と地域で販売されている。そもそもなぜこのノートは世界にも広がり愛されているのか。それは、「必ずしもすべての人が気に入ってくれるような、万人向けの商品ではないからかもしれません」と、プロデューサーの飯島淳彦さん。

飯島さんの感覚として、「受け入れてくれる人はひょっとしたら100人に1人くらいかも」と言う。だけどその一方で、その1人の心には何か深く共感できるものがあるような気がする。

海外でイベントを開催することでさまざまなユーザーと出会った。すると、トラベラーズノートに対する向き合い方は万国共通であることがわかった。大切なことを記録すること、紙に向かう気持ち、さらに自分の分身のようにノートを手にする姿には、アジア、ヨーロッパ、アメリカなど国や地域による違いはほとんどなかった。

「100人に1人という割合を無理に2人へと増やそうとするのではなく、海外にトラベラーズノートが広がっていくことで、僕たちに共感してくれる、まだ会ったことのない100分の1人に出会えるのだと、ワクワクとした希望が湧きました」

トラベラーズノートをきっかけとして、人と人とがつながり、話が広がるのもこのノートの興味深いところ。さまざまな文化的な背景を持つ世界中の国に、同じ価値観を共有できる仲間がいる。それは、なんてワクワクする、楽しいことなのだろう。

WORLD REPORT
(1)

USA
アメリカ

イベントが開催されたエースホテルのロビーは、宿泊者だけの空間ではなく、地域に開放され文化発信の場となっている。イベントの参加者、地元の人と世界各地から来た旅人、DJ、カフェのスタッフなど、さまざまな人たちが交流する様子は、多様性に満ちたアメリカらしい光景だった。ノートを知らない人も純粋に興味を持ち、日本からやってきたノートを楽しんでくれた。

TRAVELER'S COMPANY CARAVAN
@ Ace Hotel Downtown Los Angeles／2017

シアターのチケット売り場がショップに変身。バースペースに設置されたスパイラルノートバイキングコーナーもすぐに地元の人たちで賑わった。

TRAVELER'S COMPANY CARAVAN
@ Ace Hotel New York／2017

2年連続でイベントを開催。2回目には「また来てくれたの?」というように温かく迎え入れてくれ、前年に作ったノートを持ち寄るユーザーもいた。

TRAVELER'S COMPANY CARAVAN
@ Ace Hotel New York／2016

世界の主要都市・ニューヨークでイベントを行い、たくさんの人にノートを受け入れてもらったことで、トラベラーズノートの可能性を確信した。

WORLD REPORT
(2)

Taiwan

台湾

TRAVELER'S COMPANY CARAVAN

@ the eslite bookstore／2016

イベント中も行列が途切れることはなかった。自分のノートを見せながら、話しかけてくれたユーザーが多かったことも印象的だったという。

台湾を代表する本屋、誠品書店が発売当初からノートを丁寧に扱ってくれたこととあわせて、インディーズのような小さなお店たちが応援してくれたことで、ノートのユーザーが多い国。台湾では5回ほどイベントを開催しているが、中でも印象的だったのは2016年に開催された誠品書店でのノートの10周年イベント。オープン前から大行列という嬉しい光景を目にした。

理想的文具 IN MY LIFE｜Ideal Stationery Fair

by the eslite bookstore／2019

台湾はトラベラーズノートを温かく受け入れてくれた場所。イベント時には誠品書店にちなみ、本や本を運ぶカートをモチーフにした限定商品を販売。

WORLD REPORT
(3)

Hong Kong

香港

トラベラーズノートにとって、香港はスターフェリーや香港トラムなど何度もコラボレーションを行ってきた重要な街。アジアだが西洋の雰囲気もあり、歴史ある建造物も多く残る街並みは、ノートが醸し出す世界に近しいものを感じた。

ログオンは発売当時からノートを扱ってくれた大切な場所。

LOG-ON Carnival／LOG-ON
2019

TRAVELER'S STAR EDITION／STAR FERRY
2013

コラボレーションを記念し、スターフェリーを借り切り、船上でのイベントを開催。日本から参加した人もいたという。

WORLD REPORT
(5)

Spain

スペイン

オーナー自身がトラベラーズノートのユーザーであり、思い入れを持って商品を扱ってくれている店が多かったのが、ここでイベントを開催するきっかけとなった。イベントは、マップを持って、それらの店を巡って楽しめるような形で開催した。

TRAVELER'S COMPANY CARAVAN in MADRID
2019

各店舗で、地元のアーティストによるワークショップや展示などを開催した。

MAISON & OBJET／paris
2018

2018年には、パリで開催されるデザイン雑貨やインテリアの展示会、メゾン・エ・オブジェに出展。

WORLD REPORT
(4)

France

フランス

パリはニューヨークと同じく文化の中心地。エースホテルがアメリカを象徴するのと同様に、ライフスタイルショップのメルシーもパリを象徴する場所のひとつだ。パリで最初にノートを扱ってくれたこの店で、ヨーロッパ初となるノートのイベントが開催された。

CARNETS
DE VOYAGE
／merci
2012

メルシーのバイヤーが来日した際、トラベラーズファクトリーの空間を気に入ってくれた。それがきっかけとなり、イベントが実現。

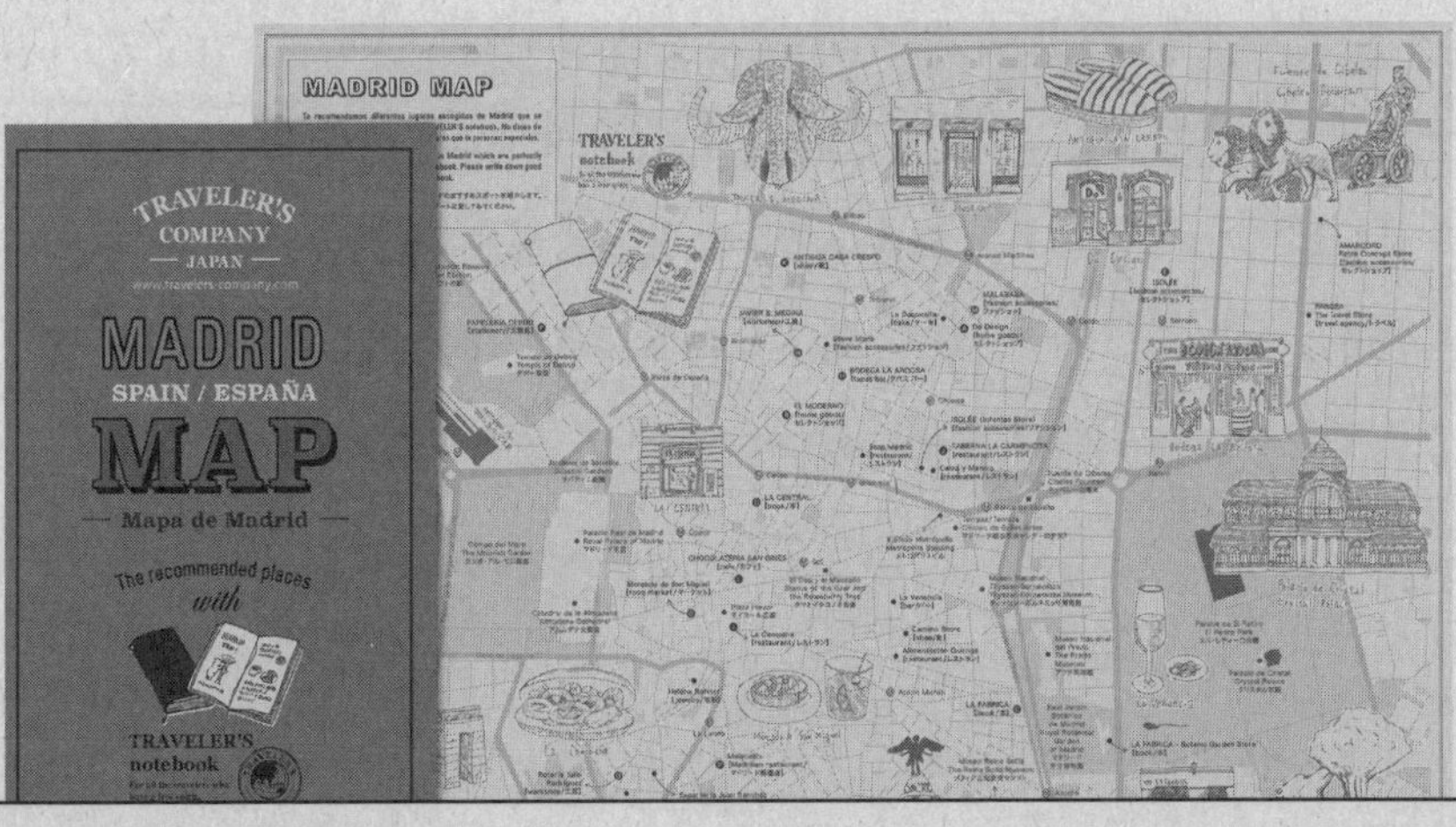

おわりに

KADOKAWAの馬庭さんからトラベラーズノートの本を出版したいというメールを受け取ったとき、正直に言えば、最初はちょっとした不安がありました。誰かと一緒に何かを作るときには、お互いの共感と信頼を何より大切にしてきたからです。

だけど、馬庭さんと実際に会って話をすると、彼女の熱意やこのノートへの深い理解と愛情に共感し、自然と一緒に本を作る話が進んでいきました。この本の著者はトラベラーズカンパニーになっていますが、編集の馬庭さんをはじめ、ライターや写真家、デザイナーなどたくさんの方の協力でできあがっています。まずは、その制作スタッフに感謝申し上げます。

この本は、トラベラーズノートを使ってくれている方々の言葉やそのシーンに最も多くのページを割いています。

それぞれのノートへの向き合い方は千差万別だけど、皆さん共通して自分が好きなことを語っていて、読んでいて幸せな気持ちになりました。

トラベラーズノートは、好きなことを綴るのに適したノートだと思っています。自分の好きを深め追求していくことが、新しい出会いへと導き、暮らしに前向きな変化をもたらしてくれる。この本のゲラを読みながら、改めてそのことを思い出しました。

僕は思春期の頃から音楽が大好きで、何度も音楽に救われてきたし、自分の価値観の多くは音楽で作られたと思っています。そんな中、音楽とは関係がないノートを作ることを生業としてきましたが、お客さまからこのノートと出会うことで人生が変わったとか、楽しいことが増えたというお話を聞いたとき、トラベラーズノートにも音楽と同じような力があるのかもしれないと思い嬉しくなったのを覚えています。そのとき、思春期から今に至るまでのすべての経験が一本の線でつながったように感じたのです。

トラベラーズノートに好きなことを綴ったり、自分好みにカスタマイズしたりすることは、まさにこの線をつなげていく行為なのかもしれません。

トラベラーズノートが15周年を迎えることができたのは、何よりこのノートを手に取り、想いを綴ってくれている方がいたからです。そんな皆さまには感謝の気持ちでいっぱいです。本当にありがとうございます。

そして、この本を手にすることでトラベラーズノートを使ってみようという方がいたら、こんなに嬉しいことはありません。

それでは皆さま、トラベラーズノートと共によい旅を。

トラベラーズカンパニー　飯島淳彦

トラベラーズカンパニー

「毎日を旅するように過ごすノート」を目指し2006年に誕生した「トラベラーズノート」を中心に、ノートと同じコンセプトを持つステーショナリー「ブラスプロダクト」「スパイラルリングノート」などのプロダクトを展開。株式会社デザインフィルのブランドのひとつ。現在、世界40以上の国・地域で愛用される人気シリーズとなっている。ノートを起点に、より自分らしく自由な旅を提案する。
https://www.travelers-company.com/

TRAVELER'S《トラベラーズ》 notebook《ノート》
トラベラーズノート オフィシャルガイド

2021年 9月25日　初版発行

著　者　トラベラーズカンパニー

発行者　青柳昌行

発　行　株式会社KADOKAWA
〒102-8177 東京都千代田区富士見2-13-3
電話 0570-002-301（ナビダイヤル）

印刷所　大日本印刷株式会社

ISBN 978-4-04-680706-9 C0077